30
ANOS

O VOYEUR

Coleção Jornalismo Literário — Coordenação de Matinas Suzuki Jr.

41 inícios falsos, Janet Malcolm
A sangue frio, Truman Capote
Anatomia de um julgamento, Janet Malcolm
Berlim, Joseph Roth
Chico Mendes: Crime e castigo, Zuenir Ventura
Dentro da floresta, David Remnick
Elogiemos os homens ilustres, James Rufus Agee e Walker Evans
Esqueleto na lagoa verde, Antonio Callado
Fama e anonimato, Gay Talese
A feijoada que derrubou o governo, Joel Silveira
Filme, Lillian Ross
Hiroshima, John Hersey
Honra teu pai, Gay Talese
O imperador, Ryszard Kapuściński
O livro das vidas, org. Matinas Suzuki Jr.
O livro dos insultos de H. L. Mencken, seleção, tradução e posfácio de Ruy Castro
A milésima segunda noite da avenida Paulista, Joel Silveira
Na pior em Paris e Londres, George Orwell
Operação Massacre, Rodolfo Walsh
Paralelo 10, Eliza Griswold
Radical Chique e o Novo Jornalismo, Tom Wolfe
O reino e o poder, Gay Talese
O segredo de Joe Gould, Joseph Mitchell
Stasilândia, Anna Funder
O super-homem vai ao supermercado, Norman Mailer
A vida como performance, Kenneth Tynan
Vida de escritor, Gay Talese
A vida secreta da guerra, Peter Beaumont
O Voyeur, Gay Talese
Vultos da República, org. Humberto Wernek
O xá dos xás, Ryszard Kapuściński

GAY TALESE

O Voyeur

Tradução
Pedro Maia Soares

Jornalismo Literário
Companhia Das Letras

Grafia atualizada segundo o Acordo Ortográfico da Língua Portuguesa de 1990, que entrou em vigor no Brasil em 2009.

Título original
The Voyeur's Motel

Capa
Alceu Chiesorin Nunes

Preparação
Mariana Delfini

Revisão
Nina Rizzo
Carmen T. S. Costa

Dados Internacionais de Catalogação na Publicação (CIP)
(Câmara Brasileira do Livro, SP, Brasil)

Talese, Gay
O Voyeur / Gay Talese; tradução de Pedro Maia Soares — 1ª ed. — São Paulo: Companhia das Letras, 2016.

Título original: The Voyeur's Motel
ISBN 978-85-359-2799-3

1. Costumes sexuais — Estados Unidos 2. Foos, Gerald 3. Jornalismo literário 4. Voyeurismo — Estados Unidos — Estudos de caso I. Título.

16-06331 CDD-306.70973

Índice para catálogo sistemático:
1. Estados Unidos : Costumes sexuais : Sociologia 306.70973

[2016]

EDITORA SCHWARCZ S.A.
Rua Bandeira Paulista, 702, cj. 32
04532-002 — São Paulo — SP
Telefone: (11) 3707-3500
Fax: (11) 3707-3501
www.companhiadasletras.com.br
www.blogdacompanhia.com.br
facebook.com/companhiadasletras
instagram.com/companhiadasletras
twitter.com/cialetras

Sumário

O VOYEUR

I.B   JAN 7, 1980

January 7, 1980

Gerald
303-364-7152
(motel)
Home - 303-343-7859

agreement attached
signed in Denver Jan. 21/80

Dear Mr. Talese:

Since learning of your long awaited study of coast-to-coast sex in America, which will be included in your soon to be published book, "Thy Neighbor Wife", I feel I have important information that I could contribute to its contents or to contents of future books.

Let me be more specific. I am the owner of a small motel, 21 units, in the Denver metropolitan area. I have owned this motel for the past 15 years, and because of its middle-class nature, it has had the opportunity to attract people from all walks of life and obtain as its guests, a generous cross-section of the American populace. The reason for purchasing this motel, was to satisfy my voyeuristic tendencies and compelling interest in all phases of how people conduct their lives, both socially and sexually, and to answer the age old question, "of how people conduct themselves sexually in the privacy of their own bedroom."
In order to accomplish this end, I purchased this motel and managed it personally, and developed a foolproof method to be able to observe and hear the interactions of different peoples lives, without their ever knowing

Carta original de Gerald Foos,
anônima e datada de 7 de janeiro de 1980, enviada a Gay.

Natalie, mãe de Gerald, do lado de fora da casa da família.

Tia Katheryn, obsessão sexual de Gerald.

Gerald (à esq.) com sua prima "Tootsie" e seu irmão, Jack.

Gerald na praia de Waikiki, em 1955.

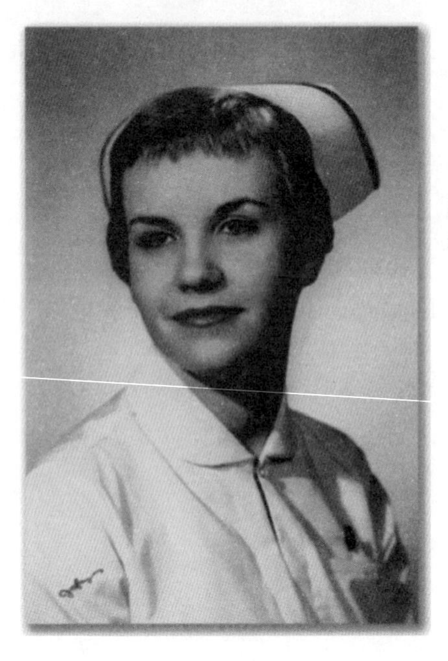

Donna, primeira esposa de Gerald.

Cartão-postal da década de 1960 do Manor House Motel.

Gerald e seus pais na frente do Manor House Motel, final da década de 1960.

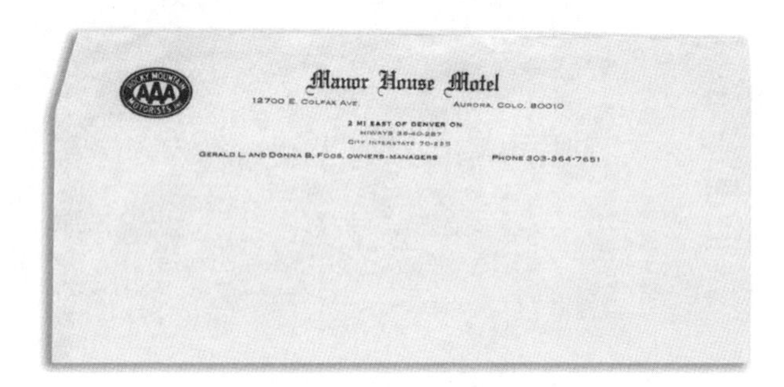

Rocky Mountain AAA Motorists Inc.

Manor House Motel

12700 E. Colfax Ave. Aurora, Colo. 80010

2 mi east of Denver on
Hiways 36-40-287
City Interstate 70-225

Gerald L. and Donna B. Foos, owners-managers Phone 303-364-7651

O Manor House Motel com seu telhado de duas águas que possibilitou a criação da "plataforma de observação" de Gerald.

Gerald na recepção do motel, década de 1970.

Gerald jogando golfe em Pebble Beach, em 1978.

Gerald em 1982.

(26)

Total Sex Acts Observed for year 1966

Total # of Sex Act Observed	Hetro Sexual White	Hetrosexual Black	Homosexual male	Lesbian Female	Single male or Female	Interracial Sex	Kinky or Perversion	Other Sex Acts
46	35	5	0	1	3	0	1	1

Type of Sex Act Performed

	# Oral Sex w/wo Intercourse	# Intercourse only	# Masturbation only	Resulting in male orgasm	Resulting in female Orgasm	No Sex
Hetro sexual White	5	29	1	35	7	
Hetro sexual Black	1	4	0	5	1	
Homosexual male	0					
Lesbian Female	1		1		1	
Single male	1		1	1		
Single Female	2		2		2	
Interracial Sex	0					

ced his intention to hide. He had the same unhappy type presentation in the room as in the office. She went to bathroom and closed door. She said nothing, but "lets go to dinner!" They came back at 8:30 and discussed a movie they had seen, and she proceeded to undress, taking off her bra, by pulling the back around to the front, and then

Uma página do Diário do Voyeur que compila atos sexuais observados e registrados em 1966.

Um quarto do Manor House Motel pouco antes de ser demolido.

Uma das aberturas de observação do voyeur: remendada.

Anita, segunda esposa de Gerald.

Anita e Gerald no Waldorf Astoria, em Nova York, década de 1990.

Gerald na frente de seu segundo motel, o Riviera.

O Manor House Motel quando estava sendo demolido.
A "plataforma de observação" ficava sob o telhado de duas águas.

Gerald com sua esposa Anita e Gay Talese
no local do antigo Manor House Motel, em 2015.

1.

Conheço um homem casado, com dois filhos, que comprou um motel de 21 quartos perto de Denver, há muitos anos, a fim de se tornar um voyeur-residente.

Com a ajuda de sua esposa, ele fez buracos retangulares no teto de uma dúzia de quartos, cada um medindo quinze por 35 centímetros. Depois, cobriu as aberturas com persianas de alumínio que simulavam grelhas de ventilação, mas eram, na verdade, aberturas de observação que lhe permitiam, quando ele se ajoelhava ou ficava de pé no espesso carpete do sótão, sob o telhado de duas águas do motel, ver os hóspedes nos quartos abaixo de si. Ele os observou durante décadas, mantendo um registro escrito quase que diário do que via e ouvia — e nunca, nenhuma vez, em todos esses anos, foi descoberto.

Tomei conhecimento pela primeira vez desse sujeito depois de receber uma carta registrada escrita à mão, sem assinatura, datada de 7 de janeiro de 1980, enviada para minha casa em Nova York. Ela dizia:

Prezado sr. Talese:

Sabendo de seu muito aguardado estudo sobre o sexo de costa a costa nos Estados Unidos, que será incluído em seu livro prestes a ser publicado, A mulher do próximo, *sinto que tenho informações importantes com as quais eu poderia contribuir para o conteúdo deste ou de um livro futuro.*

Deixe-me ser mais específico. Sou proprietário de um pequeno motel de 21 unidades na área metropolitana de Denver. Tenho esse motel há quinze anos e, devido à sua característica de classe média, ele acabou por atrair pessoas de todos os tipos e idades e abrigar como hóspedes uma generosa amostra para estudo de corte transversal da população americana. Comprei esse motel para satisfazer minhas tendências voyeurísticas e meu interesse irresistível pelo modo como as pessoas se conduzem em todas as fases de suas vidas, tanto social como sexualmente, e para responder à velha pergunta sobre "como as pessoas se comportam sexualmente na privacidade de seu próprio quarto".

A fim de alcançar esse objetivo, comprei esse motel, administrei-o pessoalmente e desenvolvi um método infalível para observar e ouvir as interações da vida de diferentes pessoas, sem que elas jamais soubessem que alguém as estava assistindo. Fiz isso puramente por minha curiosidade ilimitada sobre as pessoas, e não como apenas um voyeur insano. Isso foi feito durante os últimos quinze anos; mantive um registro detalhado da maioria dos indivíduos que observei e compilei estatísticas interessantes sobre cada um, isto é, o que foi feito, o que foi dito, suas características individuais, idade e tipo de corpo, parte do país de onde vieram e seu comportamento sexual. Esses indivíduos eram de todas as classes, idades, origens. O empresário que leva sua secretária a um motel na hora do almoço, o que é em geral classificado como "almoço executivo" no ramo dos motéis. Casais que viajam de estado em estado, a negócios ou em férias. Casais que não são casados, mas moram juntos. Mulheres que traem seus maridos e vice-versa. Lesbianismo, sobre o qual fiz um estudo pessoal devido à proximidade do motel a um hospital do Exército americano e às enfermeiras e mulheres militares que trabalhavam no hospital. Homossexualidade, pela qual eu tinha pouco interesse, mas mesmo assim observava para determinar a motivação e o procedimento. A parte final dos anos 1970 trouxe outro desvio sexual para o primeiro plano, a saber, "sexo grupal", ao qual assisti com grande interesse.

A maioria das pessoas classifica o acima exposto como desvio sexual, mas, uma vez que esses atos são praticados tão comumente por uma parcela da população, eles deveriam ser reclassificados como interesses sexuais. Se os pesquisadores do sexo e as pessoas em geral pudessem ter a capacidade de perscrutar a vida privada das outras pessoas, ver isso praticado e realizado e verificar exatamente como é grande a porcentagem de pessoas normais que se entregam a esses supostos desvios, suas opiniões mudariam de imediato.

Vi a maioria das emoções humanas, com todo o seu humor e sua tragédia, levadas até o fim. Sexualmente, testemunhei, observei e estudei o melhor tipo de sexo em primeira mão, sem ensaio, fora do laboratório, e a maioria dos outros desvios sexuais imagináveis, nestes últimos quinze anos.

Meu principal objetivo em lhe fornecer essas informações confidenciais é a crença de que elas poderiam ser valiosas para as pessoas em geral e para os pesquisadores do sexo em particular.

Além disso, tenho vontade de contar essa história, mas não sou suficientemente talentoso e tenho medo de ser descoberto. Espera-se que essa fonte de informações possa ser útil para acrescentar uma perspectiva adicional aos seus outros recursos no desenvolvimento de seu livro ou de livros futuros. Se essas

informações não lhe são úteis, talvez você possa me colocar em contato com alguém que poderia usá-las. Se estiver interessado em obter mais informações ou se quiser conhecer meu motel e suas operações, por favor, escreva para minha caixa postal abaixo ou me avise como posso contatá-lo. No momento, não posso revelar minha identidade, devido a meus interesses comerciais, mas a revelarei quando puder me assegurar de que essas informações serão mantidas em total confidencialidade.
Espero receber uma resposta sua. Obrigado.

Atenciosamente,
a/c Caixa Postal 31450
Aurora, Colorado
80041

Depois de receber essa carta, deixei-a de lado por alguns dias, sem saber como responder, ou mesmo se devia responder. Estava profundamente perturbado pela maneira como ele violara a confiança de seus clientes e invadira a privacidade deles. E, na posição de escritor de não ficção que faz questão de usar nomes verdadeiros em artigos e livros, soube de imediato que não aceitaria sua condição de anonimato, embora, tal como sugeria a carta, ele tivesse pouca escolha. Para evitar a prisão, além dos processos judiciais que o levariam provavelmente à falência, tinha de reservar para si a privacidade que negava a seus hóspedes. Um homem desse tipo poderia ser uma fonte confiável?

Ainda assim, ao reler algumas de suas frases manuscritas — "Fiz isso puramente por minha curiosidade ilimitada sobre as pessoas, e não como apenas um voyeur insano" e "mantive um registro detalhado da maioria dos indivíduos que observei" — reconheci que seus métodos de pesquisa e motivos eram semelhantes aos meus em *A mulher do próximo*. Eu havia, por exemplo, feito anotações particulares enquanto gerenciava casas de massagem em Nova York e ao conviver com swingers na comunidade de nudismo de Sandstone Retreat, em Los Angeles; e em meu livro de 1969 sobre o *New York Times*, *O reino e o poder*, minha frase de abertura era: "Em sua maioria, os jornalistas são incansáveis voyeurs que veem os defeitos do mundo, as imperfeições das pessoas e dos lugares". Mas as pessoas que observei e sobre as quais escrevi haviam dado o seu consentimento.

Quando recebi essa carta, em 1980, faltavam seis meses para a publicação de *A mulher do próximo*, mas já se havia falado muito a respeito do livro. O *New York Times* publicara na edição de 9 de outubro de 1979 a notícia de que a United Artists acabara de comprar os direitos de filmagem do livro por 2,5 milhões de dólares, quantia superior ao recorde anterior, de *Tubarão*, cujos direitos foram vendidos por 2,15 milhões de dólares.

Um excerto de *A mulher do próximo* fora publicado na *Esquire* no início dos anos 1970, e mais tarde saíram outros trechos em dezenas de revistas e jornais. Foi meu método de pesquisa que atraiu a atenção jornalística — gerenciar casas de massagem em Nova York, avaliar o ramo do comércio sexual em pequenas e grandes cidades de todo o Meio-Oeste, Sudoeste e Sul profundo, e também coletar dados em primeira mão como fiz ao viver como nudista durante meses no Sandstone Retreat para swingers, em Topanga Canyon, Los Angeles. Ao ser publicado, o livro logo chegou à lista dos mais vendidos do *Times*; permaneceu em primeiro lugar por nove semanas consecutivas e vendeu milhões de exemplares nos Estados Unidos e no exterior.

Quanto a saber se meu correspondente do Colorado era, em suas próprias palavras, "um voyeur insano" — evocativo do dono do Bates Motel em *Psicose*, de Alfred Hitchcock; ou do fotógrafo assassino de *A tortura do medo*, de Michael Powell; ou, em vez disso, um homem inofensivo de "curiosidade ilimitada", como o fotojornalista preso à cadeira de rodas interpretado por James Stewart em *Janela indiscreta*, de Hitchcock; ou mesmo um simples fabulista —, eu só descobriria se aceitasse o convite do homem do Colorado para conhecê-lo pessoalmente.

Como estava planejando ir a Phoenix no final do mês, decidi enviar-lhe um bilhete com meu número de telefone, oferecendo-me para fazer uma parada no aeroporto de Denver no meu caminho de volta a Nova York, e propus que nos encontrássemos no setor de retirada de bagagens às quatro horas da tarde de 23 de janeiro. Alguns dias mais tarde, ele deixou uma mensagem na minha secretária eletrônica dizendo que estaria lá — e lá estava ele, emergindo da multidão de pessoas à espera e alcançando-me quando me aproximei da esteira de bagagens.

"Bem-vindo a Denver", disse ele, sorrindo, enquanto segurava com a mão esquerda no ar o bilhete que eu lhe enviara. "Meu nome é Gerald Foos."

Minha primeira impressão foi que aquele amável estranho se assemelhava a pelo menos metade dos homens com quem eu voara na classe executiva. Provavelmente em seus quarenta e poucos anos, Gerald Foos tinha pele clara, olhos castanhos, talvez 1,80 metro de altura e estava um pouco acima do peso. Usava um casaco de lã ocre desabotoado e uma camisa social de colarinho aberto que parecia pequena demais para seu pescoço grosso e musculoso. De rosto limpo, tinha cabelos pretos bem aparados e repartidos de um lado e, por trás das armações grossas de seus óculos de aros de tartaruga, projetava uma expressão invariavelmente amistosa, digna de um dono de motel.

Depois que apertamos as mãos e trocamos cortesias, enquanto aguardávamos minha bagagem, aceitei o convite para ser seu hóspede no motel por alguns dias.

"Vamos colocá-lo em um dos quartos que não me oferece privilégios de visualização", disse ele, com um sorriso jovial.

"Tudo bem", disse eu, "mas poderei acompanhá-lo enquanto você observa as pessoas?"

"Sim", disse ele. "Talvez hoje à noite. Mas só depois que Viola, minha sogra, for dormir. Ela é viúva e trabalha conosco, e fica num dos quartos do nosso apartamento atrás da recepção. Minha esposa e eu tomamos o cuidado de esconder dela o nosso segredo, e a mesma coisa vale, naturalmente, para nossos filhos. O sótão onde estão localizadas as aberturas de observação está sempre trancado. Só minha mulher e eu temos as chaves. Como mencionei em minha carta, nenhum hóspede jamais suspeitou de que estava sob observação nos últimos quinze anos."

Então tirou do bolso um pedaço dobrado de papel de carta e o entregou para mim. "Espero que você não se importe de ler e assinar isto", disse ele. "É o que me permitirá ser completamente franco com você, e não terei nenhum problema em mostrar-lhe o motel."

O documento de uma página cuidadosamente datilografada declarava que eu nunca o identificaria pelo nome em meus escritos, nem associaria publicamente seu motel a qualquer informação que ele compartilhasse comigo enquanto não fosse autorizado a tanto. Tratava-se basicamente de uma repetição das preocupações manifestadas em sua carta de apresentação. Depois de ler o documento, assinei-o. O que importava? Eu já tinha decidido que não escreveria sobre Gerald Foos sob essas restrições. Tinha ido a Denver apenas para conhecer aquele homem de "curiosidade ilimitada sobre as pessoas" e para satisfazer minha própria curiosidade ilimitada a respeito dele.

Quando minha bagagem chegou, ele insistiu em carregá-la, e então o segui pelo terminal até o estacionamento e, finalmente, em direção a um reluzente Cadillac preto. Depois de colocar minha bagagem no porta-malas e me convidar a sentar no banco do passageiro, ele ligou o motor. Respondeu ao meu elogio do carro dizendo que também tinha um Lincoln Continental Mark v novo, mas orgulhava-se principalmente de seus três Thunderbirds idosos — um conversível 1955 e dois cupês 1956 e 1957. Acrescentou que sua esposa Donna tinha um sedã Mercedes-Benz 220S vermelho 1957.

"Donna e eu estamos casados desde 1960", disse ele, indo em direção à saída do aeroporto para pegar a rodovia que nos levaria ao motel, localizado na cidade suburbana de Aurora. "Donna e eu frequentamos a mesma escola numa cidade chamada Ault, pouco mais de cem quilômetros ao norte daqui. Tinha uns 1300 habitantes, em sua maioria agricultores e criadores de gado." Seus pais tinham uma fazenda de 65 hectares e eram americanos de origem alemã. Ele os descreveu como pessoas trabalhadoras, confiáveis e de bom coração, que faziam qualquer coisa por ele — "exceto discutir sexo". Todas as manhãs sua mãe se vestia no closet do quarto de seus pais, e ele nunca viu qualquer um deles demonstrar interesse por sexo. "E assim, sendo muito curioso a respeito de sexo já no comecinho da adolescência — com todos aqueles animais da fazenda em volta, como evitar pensar em sexo? —, fui olhar em volta para aprender alguma coisa sobre a vida privada das pessoas."

"Não precisou ir muito longe", disse ele, dirigindo o carro lentamente pelo tráfego suburbano. Numa casa de fazenda ao lado da de seus pais, a uns setenta metros de distância, morava Katheryn, uma das irmãs casadas mais moças de sua mãe. Quando ele começou a observar tia Katheryn, ela estava provavelmente com trinta e poucos anos e, conforme sua descrição, tinha "seios grandes, um corpo magro e atlético e cabelos vermelhos flamejantes". Ela costumava andar nua em seu quarto à noite, com as luzes acesas, as persianas dobradas para baixo, e ele espreitava debaixo do parapeito da janela — "uma mariposa atraída pela chama" —, ficava escondido ali, em silêncio, por uma hora ou mais, olhando e se masturbando. "Por causa dela eu comecei a me masturbar."

Fez isso por cinco ou seis anos e nunca foi pego. "Minha mãe às vezes me via esgueirando-me e perguntava: 'Onde você vai a essa hora?', e eu dava alguma desculpa, dizendo, por exemplo, que ia dar uma olhada em nossos cães, porque parecia que havia coiotes lá fora." Então se esgueirava até a janela da tia Katheryn, com a esperança de que ela estivesse andando ou sentada nua, talvez diante da penteadeira organizando sua coleção de bonecas de porcelana em miniatura da Alemanha, ou sua valiosa coleção de dedais que ficava guardada num pequeno armário de madeira pendurado na parede do quarto.

"Às vezes seu marido estava lá, meu tio Charley, geralmente mergulhado em sono profundo. Ele bebia muito e eu tinha certeza de que não acordaria. Uma vez, eu os vi fazendo sexo e isso me deixou perturbado. Fiquei com ciúmes. Ela era *minha*, pensei. Eu tinha visto mais do seu corpo do que ele. Sempre achei que ele era um sujeito grosseiro que não a tratava bem. Eu estava apaixonado por ela."

Continuei ouvindo sem comentar, embora estivesse surpreso com a franqueza de Gerald Foos. Eu o conhecia há não mais de meia hora e ele já estava me falando de suas fixações masturbatórias e das origens de seu voyeurismo. Como jornalista e curioso, não me lembro de ter encontrado alguém que exigisse menos de mim do que ele. Demorei anos para conquistar a confiança do lugar-tenente da Máfia Bill Bonanno, tema de meu livro *Honra teu pai*, anos escrevendo cartas, visitando seu advogado, jantando com ele off-the-record. Por fim, conquistei sua confiança, convenci-o a romper o código de silêncio da Máfia, conheci sua esposa e seus filhos. Mas Gerald Foos não tinha essa hesitação. Encarregou-se de toda a conversa, enquanto eu, aquele que assinara um termo de confidencialidade, escutava no carro. O carro era seu confessionário.

"Não fiz sexo quando estava na escola", continuou ele, "mas naquela época quase ninguém fazia. Como disse, conheci minha futura esposa lá, mas Donna e eu não namoramos. Ela estava dois anos atrás de mim. Era estudiosa, sossegada e bem bonita, mas eu estava interessado em uma das líderes de torcida do nosso time de futebol americano. Eu era um *running back* muito bom. Durante uns dois anos namorei essa líder de torcida, uma garota linda chamada Barbara White. Seus pais tinham um restaurante na rua principal. Sem sexo, como eu disse, mas a gente se abraçava e se beijava muito depois da escola, no banco da frente da minha camionete Ford 48. Uma noite, estávamos estacionados atrás da casa de bombas, no extremo norte da cidade, e tentei tirar seus sapatos. Queria ver seus pés. Ela tinha mãos adoráveis e um corpo esbelto — ainda estava usando seu uniforme de líder de torcida — e eu só queria ver e segurar seus pés. Ela não gostou. Quando insisti, ela ficou realmente furiosa e pulou para fora da camionete. Então, arrancou o colar que prendia meu anel do pescoço e o jogou em mim.

"Não a segui até em casa", disse ele. "Sabia que estava acabado. Ela me viu no dia seguinte na escola e tentou dizer alguma coisa, mas não importava. Eu tinha perdido a confiança dela. Não poderia reconquistá-la. Nosso relacionamento tinha acabado. Fiquei triste, confuso e um pouco frustrado. Foi perto do fim do meu último ano. Eu precisava ir embora. Não sabia nada sobre as pessoas. Decidi entrar na Marinha."

Gerald Foos contou que passou os quatro anos seguintes servindo no Mediterrâneo e no Extremo Oriente, período em que fez treinamento de especialista em demolição subaquática e, quando estava de licença em terra, ampliou seu conhecimento sobre sexo sob a orientação de garotas de programa. "Meu voyeurismo abrandou", Gerald escreveu mais tarde. "Houve algumas ocasiões em que voltei a ser voyeur, mas eu estava em geral participando de tantas aventuras sexuais quanto possível. Foi um tempo de aprendizado e experiência para mim, e aproveitei minhas viagens com a Marinha para descobrir tanto quanto fosse possível. Trabalhei no mar durante dois anos, viajando de porto em porto e visitando todas as casas de prostituição da região do Mediterrâneo e do Extremo Oriente. Foi ótimo, mas eu ainda estava à procura de respostas e queria conhecer a questão complexa do que se passa na vida privada. Minha solução absoluta para a felicidade era poder invadir a privacidade dos outros sem que soubessem."

Mas também continuou a se masturbar se lembrando da tia Katheryn, disse ele, acrescentando: "Há uma determinada imagem dela, nua em seu quarto, acariciando uma de suas bonecas de porcelana, que não sai da minha cabeça e ficará provavelmente para sempre nela".

Seu comentário me lembrou da cena bem conhecida de *Cidadão Kane*, de 1941, em que o sr. Bernstein (interpretado por Everett Sloane) conta a um repórter: "Um sujeito lembrará de um monte de coisas que você não imagina que ele seria capaz de lembrar. Veja o meu caso. Um dia, em 1896, eu estava atravessando para Jersey de balsa e, quando nós partimos, havia uma outra balsa chegando, e nela havia uma garota esperando para descer. Estava de vestido branco e carregava uma sombrinha branca, e só a vi por um segundo e ela nem me viu — mas aposto que desde então não se passa um mês sem que eu não pense nessa garota".

Pouco antes de Gerald Foos dar baixa da Marinha, em 1958, quando estava visitando os pais em Ault, sua mãe disse que havia recentemente encontrado na Main Street uma de suas colegas de colégio — Donna Strong, que agora estudava enfermagem em Denver. Gerald contatou Donna imediatamente (sua amiga líder de torcida, Barbara, já estava casada), e logo Gerald e Donna começaram um relacionamento que os levou ao casamento em 1960.

A essa altura, Donna já tinha um emprego em tempo integral de enfermeira num hospital na comunidade suburbana de Aurora, enquanto Gerald trabalhava como auditor de campo na sede de Denver da Conoco, uma empresa petrolífera. Contou que era um emprego horrível em que passava o dia sentado num cubículo ajudando a manter os registros dos níveis de estoque dos tanques de petróleo no Colorado e em estados vizinhos. Sua principal fuga do tédio acontecia durante suas "excursões voyeurísticas" noturnas ao redor de Aurora, onde ele e Donna alugaram um apartamento não muito longe do hospital. Geralmente a pé, embora às vezes de carro, ele saía à noite pelos bairros e aproveitava que certas pessoas não se preocupavam em fechar as persianas ou não eram tão cuidadosas ao tentar evitar olhares intrusivos em seus quartos. Ele disse que não fazia segredo de seu voyeurismo para Donna.

"Antes mesmo de nosso casamento, eu lhe contei que era obsessivamente curioso a respeito das pessoas e que gostava de observá-las quando não sabiam que eu estava olhando. Disse que achava isso excitante e que me dava uma sensação de poder, e que havia muitos homens como eu no mundo." Ela pareceu entender isso, disse ele, e certamente não ficou chocada com sua confissão. "Acho que o fato de ser enfermeira tornou as coisas mais fáceis para mim. Donna e a maioria das enfermeiras são pessoas de mente muito aberta. Já viram de tudo — morte, doença, dor, distúrbios de toda espécie, e é preciso muita coisa para chocar uma enfermeira. Pelo menos Donna não ficou chocada." Não só isso, continuou ele, como chegou o acompanhá-lo algumas vezes em suas excursões voyeurísticas e, depois de uma noite em que partilharam cenas de preliminares ou de cópulas que achou interessante, até mesmo estimulante, ela perguntou: "Você faz anotações sobre o que vê?" "Nunca pensei nisso", ele respondeu. "Talvez devesse", disse ela. "Vou pensar nisso", disse ele; e logo começou a escrever um diário que, na década de 1970, viria a ter várias centenas de páginas, com quase todas as suas anotações centradas no que ele viu (e, às vezes, no que Donna viu com ele) depois de terem comprado juntos o Manor House Motel, no número 12 700 da East Colfax Avenue, em Aurora.

"Estamos chegando ao nosso motel", disse Gerald Foos, enquanto continuava a dirigir pela East Colfax Avenue, passando por um bairro de operários brancos de prédios baixos — lojas, casas, um estacionamento para trailers, um Burger King, uma oficina de automóveis e um antigo cinema Fox que lembrou Foos de um de seus filmes favoritos, *A última sessão de cinema*. Colfax era uma via importante, a principal rua leste-oeste da região. Especialmente em seu trecho em Denver, Colfax era uma avenida célebre, chamada uma vez pela *Playboy* de a "rua mais longa e depravada dos Estados Unidos". Gerald disse que havia 250 motéis ao longo da Colfax. Passamos pelo Riviera Motel, de dois andares, que Foos manifestou interesse em comprar um dia (disse que havia inicialmente visitado o Riviera para dar suas espiadelas, espreitando o estacionamento e as janelas iluminadas dos quartos do térreo); mas em vez disso decidiu comprar o Manor House, térreo, porque tinha um telhado de duas águas com altura de aproximadamente 1,80 metro no centro — o suficiente para que ele pudesse andar de pé no sótão; e, se criasse aberturas discretas no teto dos quartos, poderia observar as cenas abaixo de si.

Logo abordou o proprietário do Manor House, um homem idoso e com saúde debilitada chamado Edward Green, e acertou ao supor que o sr. Green estava ansioso para vendê-lo; assim, Foos prontamente adquiriu a propriedade por 145 mil dólares. De entrada, Foos contou que deu cerca de 25 mil que havia economizado da herança do avô paterno e outros 20 mil da venda de uma casa em Aurora que Donna e ele tinham comprado no terceiro ano de casamento.

"Donna não ficou muito feliz por deixar nossa casa e ir morar nos aposentos de gerente do motel, mas prometi a ela que compraríamos outra casa assim que pudéssemos. Também concordei com Donna que ela não largaria sua carreira de enfermeira, que ela adorava, para trabalhar em tempo integral numa recepção. Foi quando pus sua mãe Viola em cena, para nos ajudar a administrar o lugar. O pai de Donna abandonara a família quando ela era menina. Era um músico talentoso, além de carpinteiro habilidoso, mas bebia. Depois que nos casamos, aparecia de vez em quando e implorava por empréstimos que nunca pagava. Lembro que uma vez ele foi ao nosso apartamento e Donna lhe deu todo o dinheiro que havia em sua bolsa, mais de cinquenta dólares, creio eu. Depois que ele saiu, peguei meus binóculos e observei da janela ele atravessar a rua e se dirigir para a loja de bebidas mais próxima."

Foos diminuiu a marcha na East Colfax Avenue, fez uma curva à direita na Scranton Street e entrou à esquerda na área de estacionamento do Manor House Motel, uma construção de tijolos pintados de verde com portas cor de laranja nos seus 21 quartos de hóspedes.

"Parece que estamos quase lotados", disse ele, ao olhar pelo para-brisa e notar que quase todos os espaços demarcados em branco diante das portas cor de laranja estavam ocupados por veículos. Estacionou então ao lado de uma construção menor adjacente, que consistia de um escritório de duas salas, os aposentos da família e, mais adiante, três quartos separados com portas cor de laranja numerados 22, 23 e 24, cada um com uma área de estar e uma pequena cozinha.

Enquanto eu seguia Foos, que carregava minha bagagem, fomos recebidos no escritório por Donna, uma loira baixinha, de olhos azuis, vestida com seu uniforme de enfermeira. Depois de me cumprimentar, explicou que estava a caminho do hospital; ia trabalhar no turno da noite, mas esperava me ver pela manhã. Sua mãe, Viola, uma mulher de óculos e cabelos grisalhos que estava sentada a uma mesa falando ao telefone, acenou e sorriu na minha direção, e acenou de novo quando saí com Foos, andando por um estreito caminho de pedra até onde eu iria ficar, no quarto 24, na extremidade da construção menor.

"Este lugar está mais silencioso do que o habitual", disse Foos. "Nenhum de nossos filhos está morando aqui, agora. Nosso filho, Mark, é calouro na Escola de Minas do Colorado, e Dianne, que nasceu com uma doença respiratória, teve de abandonar a escola para se tratar numa clínica do hospital. Donna a visita sempre entre as rondas, e eu também vou lá regularmente, em geral no período da manhã."

Foos largou a minha bagagem diante do quarto 24 e, depois de abrir a porta com a chave, ligou o ar-condicionado e pôs minha bagagem perto do armário.

"Por que você não desfaz a mala e descansa por um tempo", disse ele, "e em uma hora o chamo e vamos a esse ótimo restaurante novo, o Black Angus? Depois disso podemos voltar e fazer um pequeno tour pelo sótão."

2.

Depois que ele me entregou a chave do quarto e saiu e eu terminei de desfazer as malas, comecei a tomar notas de minhas impressões sobre Gerald Foos e sobre o que ele me dissera no carro. Mesmo quando não estou planejando publicar alguma coisa, costumo fazer anotações de minhas andanças e encontros com pessoas, que guardo com recibos de despesas e outros documentos que possam ser necessários mais tarde para fins fiscais. No que foi outrora uma adega na minha casa geminada de Nova York, mas que agora uso como meu espaço de trabalho e de armazenamento, encontram-se dezenas de caixas de papelão e armários de metal cheios de pastas com esses materiais, tudo organizado em ordem cronológica, dos dias mais recentes até meados dos anos 1950, quando comecei a trabalhar no *Times*. Era um jornal de registro, e eu era um homem que registrava. Às vezes consulto as velhas pastas apenas para refrescar minha memória sobre assuntos pessoais menores, e às vezes o material se mostra útil para a minha profissão — como eu suspeitava que minhas informações sobre Gerald Foos seriam, *caso* ele me permitisse identificá-lo publicamente.

Entrementes, o principal interesse que eu tinha em relação a ele não dependia do meu acesso ao seu sótão. O que eu poderia ver em seu sótão que já não tivesse visto ao fazer pesquisas para *A mulher do próximo* e frequentar o salão de festa dos casais praticantes de swing de Sandstone? Mas o que esperava conseguir nessa visita ao Colorado era sua permissão para ler as centenas de páginas que ele alegava ter escrito durante os últimos quinze anos de cronista clandestino.

Embora eu presumisse que seu relato se concentrava no que lhe deixava excitado sexualmente, também era possível que ele observasse e anotasse coisas que existiam para além de seus desejos antecipados, ou que se acrescentassem a eles. Um voyeur é motivado pela expectativa: ele investe horas intermináveis na esperança de ver o que espera ver. E, contudo, para cada episódio erótico que testemunha, pode ficar a par de milhares de momentos mundanos e, às vezes, estupendamente entediantes da rotina humana de pessoas que defecam, zapeiam na frente da televisão, roncam, se embonecam na frente de um espelho e fazem outras coisas excessiva e tediosamente reais para a realidade que vemos hoje pela televisão. Ninguém recebe menos por hora do que um voyeur.

Mas, além de tudo isso, há momentos em que um voyeur faz inadvertidamente o papel de historiador social. Era o que afirmava um livro que eu tinha lido recentemente intitulado *The Other Victorians*, escrito por Steven Marcus, biógrafo, ensaísta e professor de literatura na Universidade Columbia. Um dos personagens principais de seu livro é um cavalheiro inglês do século XIX, de família de classe média alta, de posses, que, aparentemente, exagerava tentando compensar sua criação repressiva tendo experiências voyeurísticas, bem como relações íntimas diretas, com um grande número de mulheres — criadas, cortesãs, esposas de outros homens (embora tivesse sua própria esposa) e pelo menos uma marquesa. O professor Marcus diz que esse cavalheiro levava uma vida de "promiscuidade estável".

A partir de meados da década de 1880, esse indivíduo começou a escrever suas memórias sobre suas relações sexuais e lembranças voyeurísticas e, algumas décadas depois, seus esforços já se haviam transformado numa obra de onze volumes de mais de 4 mil páginas. Ele a chamou de *Minha vida secreta.*

Ao mesmo tempo que ocultava sua identidade de autor, providenciou para que o livro fosse publicado secretamente em Amsterdã, e de lá a obra ganhou notoriedade aos poucos, à medida que edições piratas e excertos eram divulgados no underground literário da Europa e dos Estados Unidos. Em meados do século XX, quando as leis contra a obscenidade se tornaram menos opressivas, uma edição norte-americana de *Minha vida secreta* foi legalmente publicada pela primeira vez pela Grove Press em 1966, e o professor Marcus a elogiou por ser uma obra que continha importantes percepções e fatos relevantes para a história social daquele período.

"Além de apresentar esses fatos", escreveu Marcus, "*Minha vida secreta* mostra que, em meio e sob o mundo da Inglaterra vitoriana como a conhecemos — e como ela tendia a se representar para si mesma —, se desenrolava uma verdadeira vida social secreta, a vida secreta da sexualidade. Todos os dias, em todos os lugares, pessoas se conheciam, se encontravam, se juntavam e seguiam em frente. E embora seja verdade que os vitorianos não tinham como não saber disso, quase ninguém escrevia sobre o tema; a história social de suas próprias experiências sexuais não fazia parte da percepção oficial que os vitorianos tinham de si mesmos ou de sua sociedade."

Uma vez que o autor anônimo de *Minha vida secreta* concede atenção especial às prostitutas de Londres, apresentando-as muitas vezes como mulheres pragmáticas bem pagas que respondiam aos desejos do mercado — uma prostituta tinha várias criadas e uma carruagem e ganhava entre cinquenta e setenta libras esterlinas por semana —, Marcus sugere que os sentimentos do autor e cenas extraídas do "baixo-ventre do mundo vitoriano" contrastavam com os "valores positivos" promovidos pelos romancistas da época. "O que Dickens faz, evidentemente, é suprimir quaisquer referências às prostitutas e censurar o seu relato sobre a linguagem das docas", escreve Marcus, acrescentando: "Assim, a primeira coisa que ficamos sabendo ao ler essas cenas (e há centenas delas em *Minha vida secreta*) é o que não entrou no romance vitoriano, o que era, por convenção e comum acordo, deixado de fora ou suprimido".

O que também descobrimos por intermédio do autor de *Minha vida secreta* é muita informação sobre hábitos sanitários e de higiene pessoal dos vitorianos. Antes de meados do século XIX, existiam poucos banheiros públicos na cidade e, em lugares como Hampton Court Park, homens e mulheres aliviavam suas bexigas nos arbustos e, à noite, também nas ruas.

"A polícia não dava importância a essas ninharias", escreve o autor, "desde que não acontecesse numa rua maior (embora eu tenha visto mulheres fazê-lo à noite abertamente nas sarjetas da Strand); nessa rua, eu as vi mijando quase em filas; contudo, iam em sua maioria em grupos de duas para cumprir essa tarefa, pois as mulheres gostam de um anteparo — uma fica geralmente de pé até que a outra termine e, em seguida, é a sua vez."

Ele também relatou que as mulheres não usavam roupas de baixo, mas, infelizmente, em algum momento de meados do século XIX "essa moda de usar ceroulas parece estar se espalhando cada vez mais [...] seja dama, criada ou prostituta, todas as usam. Acho que dificultam aqueles confortáveis toques casuais de bundas e bocetas".

A curiosidade obsessiva do autor a respeito das mulheres, seus corpos e funções corporais, que começou na juventude, na década de 1820, quando vivia cercado por criadas — uma das quais, rindo, "pôs a mão por fora da minha calça, deu uma beliscada suave no meu pinto e me beijou" —, continuou pelo resto de sua vida e o levou a escrever: "Alguns homens — e eu sou um deles — são insaciáveis e poderiam olhar para uma boceta durante um mês sem tirar os olhos".

O professor Marcus acrescenta: "Outra forma que esse impulso assume é o seu desejo de ver outras pessoas copulando; e, em sua maturidade, faz grandes esforços e consideráveis gastos para ter a experiência dessa visão. Sua principal obsessão visual, no entanto, é a necessidade de ver, olhar, inspecionar, examinar e contemplar [...]". Como disse o próprio autor: "O homem não pode ver demais da natureza humana".

Embora o autor às vezes tentasse restringir suas atenções a uma única mulher — a começar por sua primeira esposa, por exemplo, quando ele tinha 26 anos —, seus esforços eram invariavelmente subvertidos ao ver alguém novo. Sua esposa era mais rica do que ele e, à medida que ele se tornava financeiramente dependente dela, ela se tornava cada vez mais crítica a ele. "Ela examinava meu sorriso, zombava de meu passado, lamuriava-se de meu futuro, [...] era repugnante para mim na cama. Durante muito tempo me esforcei para cumprir meu dever e ser fiel, mas a tal ponto ia minha repulsa que, deitado a seu lado, eu tinha sonhos eróticos todas as noites, antes de me aliviar nela."

Cinco anos depois da morte dessa mulher, quando tinha provavelmente quarenta e poucos anos, seu livro de memórias sugere que ele se casou de novo e aspirava a ser fiel a essa esposa. "Por quinze meses fiquei contente com uma mulher. Eu a amo com devoção. Morreria para fazê-la feliz. [...] Fodi em casa repetidas vezes com fúria, de tal modo que não sobrasse esperma algum para provocar a rigidez do meu pau quando estivesse longe de casa; fodi, com efeito, até ser aconselhado por meu médico que aquilo era tão ruim para ela quanto para mim." Mas depois, com resignação, concluiu: "Tudo é inútil. O desejo de mudança parece invencível. [...] Está constantemente em mim, me deprime, e devo ceder".

Embora suas relações conjugais não tenham gerado filhos, o professor Marcus passou a acreditar, depois de ler os onze volumes de memórias, que o autor "engravidou mulheres de vários tipos — criadas, mulheres respeitáveis com quem teve casos, cortesãs que manteve por pouco tempo. Algumas delas tiveram filhos, a maioria fez abortos, o que parecia ser bastante fácil de arranjar na Inglaterra da época (ele não informa sobre isso em detalhes)".

Marcus também citava frases do autor de *Minha vida secreta* que julguei aplicáveis ao meu atual objeto de interesse, Gerald Foos.

"Por que", perguntava o autor, "é abominável para qualquer um olhar um homem e uma mulher fodendo quando todos os homens, mulheres e crianças fariam isso, se tivessem a oportunidade? A cópula é uma coisa imprópria de se fazer? Se não é, por que é vergonhoso olhar quando está acontecendo?"

Já que eu estava prestes a jantar com Gerald Foos, decidi mencionar o livro do professor Marcus e conseguir-lhe um exemplar, caso não o tivesse lido. Pensei que seria interessante saber a reação de Foos no século XX a um livro que apresentava um voyeur do século XIX. Também esperava que o manuscrito de Gerald Foos, quando e se eu tivesse permissão para usá-lo, serviria como uma espécie de continuação de *Minha vida secreta*.

3.

No restaurante Black Angus, depois de pedir uma margarita e um contrafilé, Foos prometeu que me mandaria pelo correio uma fotocópia de seu manuscrito, mas enfatizou que eu devia ser paciente. Por razões de privacidade, teria de fotocopiar sozinho centenas de páginas fora do motel, talvez na biblioteca pública; e, uma vez que poderia enfrentar limitações de tempo e privacidade aonde quer que fosse, preferia fazer o trabalho em pequenas partes, e cada parte não poderia ter mais do que quinze ou vinte páginas.

"Vou tentar lhe mandar a primeira parte em uma semana", disse ele, "mas pode demorar seis meses ou mais para que você receba todo o manuscrito. E, novamente, confio que manterá tudo isso estritamente confidencial. Há centenas de histórias secretas nestas páginas, e cada uma delas inclui os nomes e os endereços dos hóspedes, tirados das fichas de registro. Donna e eu chegamos a conhecer alguns deles pessoalmente, aqueles que ficaram conosco por vários dias e se comunicaram muito com a gente na recepção. E às vezes ouvimos o que diziam sobre nós —

eles falando em seus quartos e nós escutando no sótão. Não era nada lisonjeiro."

Perguntei a Gerald Foos se alguma vez se sentira culpado por espionar seus hóspedes. Embora tivesse medo constante de ser descoberto, não estava disposto a admitir que suas atividades no sótão do motel causassem mal a alguém. Em primeiro lugar, disse ele, entregava-se à curiosidade dentro dos limites de sua propriedade e, uma vez que não sabiam de seu voyeurismo, seus hóspedes não eram afetados por ele. "Visite qualquer um desses antigos casarões coloniais e encontrará provavelmente lugares de escuta e buracos de observação. Trata-se de uma coisa antiga, observar pessoas, mas não há invasão de privacidade se ninguém reclama." Repetindo o que me dissera antes: "Observei centenas de hóspedes desde que sou dono do Manor House, e nenhum deles sabia disso".

Contou que levou vários meses para criar as aberturas de observação de seu motel com "perfeição infalível", usando o quarto 6 como seu laboratório e Donna como sua assistente. De início, pensou em espelhos falsos no teto, mas descartou a ideia por ser demasiado óbvia e muito fácil de detectar. "Preciso de um método que jamais venha a ser descoberto por um hóspede", escreveu. "Os hóspedes têm direito à privacidade e jamais devem saber que ela foi invadida." Pensou então em instalar respiradouros falsos para seu prazer de espiar, mas primeiro precisou contratar um serralheiro que fabricasse um modelo que Foos tinha em mente — uma persiana de quinze por 35 centímetros com uma dúzia de lâminas — e depois mandar fazer onze réplicas desse modelo, sem que o serralheiro soubesse o verdadeiro propósito de seu trabalho nem participasse da instalação no motel. O próprio Foos teria de entrar com a mão de obra depois que as persianas estivessem prontas, embora Donna tenha oferecido ajuda. "Eu não podia deixar que ninguém, se não ela, me ajudasse", disse ele, durante nosso jantar.

Uma das tarefas de Donna foi subir numa cadeira ou escada em cada um dos doze quartos escolhidos, segurar uma persiana acima da cabeça e tentar encaixá-la na abertura retangular de quinze por 35 centímetros que Foos havia aberto no teto com uma serra elétrica.

Enquanto isso, deitado de bruços no chão do sótão, ele estendia os braços para baixo pela abertura e ajudava Donna a manter a persiana no lugar para, em seguida, prendê-la com parafusos compridos, que se fixavam nos dois centímetros de madeira compensada que revestia o piso do sótão. Ele disse que todos os parafusos eram de cabeça plana e suas extremidades foram presas com firmeza no piso do sótão para que nenhum hóspede mexesse neles por baixo. Três camadas de carpete felpudo cobriam o chão do sótão, e os pregos que mantinham o carpete no lugar foram cobertos com pontas de borracha para amortecer os rangidos que os passos pudessem provocar.

As aberturas foram feitas perto do pé da cama. "A colocação vantajosa do respiradouro", escreveu ele, "permitirá uma excelente oportunidade para ver e também ouvir as discussões dos indivíduos. A abertura estará a cerca de dois metros deles."

Depois que todas as doze persianas foram instaladas nos quartos designados, Foos pediu a Donna para entrar em cada quarto, deitar-se na cama e olhar para a abertura enquanto ele a observava.

"Você consegue me ver?", ele perguntava através do respiradouro. Se ela respondesse afirmativamente, ele descia ao quarto, subia numa escada e usava um alicate para tentar dobrar as lâminas da persiana num ângulo que escondesse sua presença no sótão, ao mesmo tempo que mantivesse uma visão clara do aposento.

"Esse processo de tentativa e erro levou semanas", continuou Foos. "E foi também extenuante — eu subindo e descendo o tempo todo entre o sótão e os quartos, minhas mãos doendo de todos aqueles ajustes com o alicate, e Donna, que me ajudava no seu tempo livre do hospital, estava tão cansada quanto eu. Mas nunca reclamou. Ela demonstrou muito amor por mim durante aquele período. Por que uma mulher ajudaria numa coisa dessas se não fosse por amor?"

Foos disse que começou a observar os hóspedes no inverno de 1966 e, embora frequentemente ficasse excitado, também havia ocasiões em que as coisas que via eram tão monótonas que caía no sono, cochilando por horas sobre o carpete grosso do sótão, até que Donna o acordava em uma de suas visitas periódicas, geralmente antes de sair para o turno da noite no hospital. Às vezes, ela lhe levava um lanche, uma fruta ou um refrigerante com sanduíche. "Eu sou o único que tem direito a serviço de quarto neste motel", disse-me com um sorriso. Outras vezes, embora brevemente e com pouca frequência, Donna aceitava o convite para se deitar ao lado dele no tapete e observar quando um interlúdio erótico particularmente interessante estivesse ocorrendo em um dos quartos.

"Donna não era uma voyeuse", disse ele, "e sim a devotada esposa de um voyeur. E, ao contrário de mim, ela cresceu tendo uma relação livre e saudável com o sexo, e isso incluía às vezes fazer sexo oral e transar comigo no sótão em seus dias de folga do hospital. O sótão era uma extensão do nosso quarto. Era um lugar onde podíamos ficar sozinhos quando as crianças estavam por perto. As portas ficavam sempre trancadas e somente nós tínhamos as chaves. Alguns casais instalavam espelhos no teto de suas casas ou assistiam a um filme pornô na cama, mas a vantagem que tínhamos quando fazíamos amor silenciosamente em nosso sótão era a possibilidade de espreitar um show de sexo ao vivo, acontecendo a apenas dois metros abaixo de nós."

Ele foi adiante e disse que, quando Donna não estava junto, se ficasse excitado ao assistir a um casal em ação lá embaixo ele se masturbava (mantinha uma toalhinha por perto) ou guardava na memória o que vira e relembrava as imagens estimulantes ao fazer amor com Donna mais tarde. "Até mesmo um casamento sexualmente satisfatório pode se beneficiar de um pouco de tempero", disse ele.

Depois que deixamos o restaurante Black Angus, perto das onze da noite, Foos continuou a falar enquanto dirigia de volta ao Manor House. Mencionou que um jovem casal muito atraente se hospedara no motel nos últimos dias e talvez pudéssemos dar uma espiada neles naquela noite. Eram de Chicago e estavam no Colorado de férias para esquiar e visitar amigos na região de Denver. Donna os recebera e os instalara no quarto 6. Foos disse que sempre que Donna estava no lugar de Viola na recepção, o que costumava fazer no início da tarde, antes de ir trabalhar, ela registrava os hóspedes mais jovens e atraentes num dos "quartos de observação", em deferência a ele. O quarto 6 era um desses, enquanto outros nove, sem instalações para observar as pessoas, eram destinados a casais ou indivíduos velhos ou de físico menos atraente.

Foos também mencionou que ele e Donna estavam construindo naquele momento uma casa de fazenda de dois andares com garagem para quatro carros no terreno do clube de campo Aurora, na East Cedar Avenue. Ele se identificou como um ávido jogador de golfe que costumava dar oitenta e poucas tacadas, enquanto seu filho adolescente, Mark, era muito melhor e, potencialmente, um jogador de nível universitário de primeira linha.

Quando nos aproximamos do motel, comecei a me sentir pouco confortável. Notei que a grande placa de propaganda perto da entrada da Colfax Avenue exibia o aviso de "Lotado".

"Isso é bom para nós", disse Foos, entrando com o carro no estacionamento do motel. "Significa que podemos fechar pelo resto da noite e não seremos incomodados por gente chegando tarde à procura de quartos — e, para os nossos hóspedes registrados, há uma campainha e também um sinal sonoro na recepção que eles podem usar se precisarem de alguma coisa." O sinal também estava equipado para retransmitir sons abafados para o sótão, disse ele, de modo que, a seu critério, poderia voltar ao escritório pronta e convenientemente. Podia descer a escada na despensa, atravessar o estacionamento e chegar à recepção no prédio menor em menos de três minutos.

Depois que ele estacionou o carro ao lado da recepção, fomos recebidos na porta por Viola, que estivera de plantão toda a noite. Ela entregou-lhe um pacote de correspondência, recibos de cartões de crédito e alguns recados, e depois pôs Foos a par de assuntos de rotina, como os horários das empregadas para o resto da semana. Ficaram conversando na frente do balcão por alguns minutos enquanto eu esperava sentado num sofá de canto. Atrás de mim havia uma parede coberta com cartazes emoldurados das Montanhas Rochosas e do centro de Denver, mapas da cidade e do estado e duas placas da Associação Automobilística Americana (AAA) confirmando a limpeza e o conforto do Manor House Motel.

Por fim, Foos deu boa-noite para a sogra, apagou uma das luzes de mesa e, depois de acenar para que eu o seguisse, trancou a porta da frente. Atravessamos então o pátio, esgueiramo-nos por entre alguns carros estacionados e caminhamos na direção da despensa, localizada no centro do prédio principal do motel.

As cortinas das grandes janelas da frente de cada um dos 21 quartos no nível da rua estavam fechadas, e viam-se luzes atrás das cortinas em apenas quatro ou cinco deles. Eu conseguia ouvir o som da televisão proveniente de alguns quartos, o que imaginei que não indicava nada de bom, conhecendo as expectativas preferidas de meu anfitrião.

Com sua chave de acesso, ele abriu suavemente a porta da despensa, que tinha prateleiras por todos os lados e pilhas de cobertores, toalhas e lençóis dobrados; no chão, ao lado de uma máquina de lavar e uma secadora, havia caixas com barras de sabão, garrafas de detergente e lustra-móveis. Mais para o fundo da despensa, fixada numa parede, havia uma escada de madeira pintada de azul com dez degraus arredondados paralelos.

Ele pôs o dedo nos lábios, sinalizando para que ficássemos em silêncio, e subi a escada atrás dele, com uma pausa momentânea no patamar, enquanto ele subia um pouco mais para destrancar a porta que dava para o sótão. Depois que entramos e ele trancou a porta atrás de mim, eu vi na penumbra, à esquerda e à direita, vigas inclinadas de madeira que sustentavam os dois lados do telhado do motel; e no meio do chão estreito do sótão, ladeado por vigas horizontais, havia uma passarela acarpetada de cerca de um metro de largura que percorria todo o comprimento do motel, estendendo-se sobre o teto dos 21 quartos de hóspedes.

Engatinhei na passarela um pouco atrás de Foos, para evitar bater a cabeça numa das vigas. Parei quando Foos apontou para baixo em direção à luz que vinha de uma das aberturas de observação localizadas no piso, um pouco à nossa frente, no lado direito da passarela. Também havia luz em algumas outras aberturas situadas mais longe, mas dessas era possível ouvir o ruído dos aparelhos de televisão, ao passo que o respiradouro mais próximo de nós estava quase silencioso, exceto pelo murmúrio suave de vozes humanas em meio ao vibrato das molas do colchão.

Notei o que Foos estava fazendo e fiz o mesmo: fiquei de joelhos e comecei a engatinhar na direção da área iluminada, depois estiquei o pescoço ao máximo a fim de ver tanto quanto conseguisse pela grelha (quase batendo de cabeça com Foos) — e, finalmente, o que vi foi um casal atraente e nu estendido na cama, fazendo sexo oral.

Observei por alguns instantes e então Foos levantou a cabeça do respiradouro e sorriu para mim, fazendo um sinal de positivo com o polegar. Depois, inclinou-se mais perto de mim e sussurrou que se tratava do casal de Chicago do qual falara no carro no caminho de volta do restaurante.

Apesar da voz insistente na minha cabeça que me dizia para desviar o olhar, continuei a observar a mulher esguia fazendo sexo oral em seu parceiro, e dobrei a cabeça mais para baixo a fim de ter uma visão mais clara. Ao fazer isso, não percebi que minha gravata de seda com listras vermelhas havia deslizado para baixo através das lâminas da persiana e pendia agora no teto do quarto do casal, a pouca distância da cabeça da mulher.

Só me dei conta do meu descuido porque Gerald Foos engatinhou atrás de mim, me puxou pelo pescoço para longe da abertura e, com a mão livre, puxou a gravata através das lâminas de forma tão rápida e silenciosa que o casal abaixo não viu nada, em parte porque a mulher estava de costas para nós e o homem estava absorto no prazer, de olhos fechados.

Os olhos arregalados de Gerald Foos indicavam considerável ansiedade e irritação e, embora ele não tenha dito nada, me senti repreendido e envergonhado. Se a minha gravata rebelde houvesse traído seu esconderijo, ele poderia ser processado e preso, e a culpa seria totalmente minha. Meu pensamento seguinte foi: por que eu estava preocupado em proteger Gerald Foos? O que eu estava fazendo aqui, afinal? Eu me tornara cúmplice de seu estranho e repugnante projeto? Quando ele fez sinal para que saíssemos do sótão, obedeci imediatamente, seguindo-o pela escada até a despensa e dali para o estacionamento.

"Você precisa se livrar dessa gravata", disse ele finalmente, acompanhando-me ao meu quarto. Assenti com a cabeça e desejei-lhe boa-noite.

4.

No dia seguinte, Foos levantou-se pouco depois do amanhecer, preparando-se para cuidar do turno da manhã na recepção. Mais tarde me telefonou, perguntando se eu gostaria de tomar com ele o café da manhã que mandaria buscar, em um tom que não indicava ressentimento algum da noite anterior. Quando cheguei, nos cumprimentamos, mas ele não comentou o fato de eu não estar usando gravata. Não usar gravata é, para mim, uma grande concessão, porque, sendo filho de um alfaiate orgulhoso, usei ternos e gravatas desde a escola primária, e estar sem gravata me dava a sensação de ter sido despojado de minha ânsia por elegância. Não obstante, depois da minha gafe da noite anterior, lembrei que não estava em território familiar. Era apenas um hóspede não pagante no motel de um voyeur.

"Já que temos um pouco de privacidade aqui no escritório", disse Foos, "gostaria que desse uma olhada rápida no meu manuscrito." Ele abriu a gaveta inferior da escrivaninha e tirou uma caixa de papelão que continha uma pilha de dez centímetros de espessura de páginas escritas à mão. As páginas de linhas amarelas tinham sido arrancadas de blocos tamanho ofício e, embora escritas em espaço simples, eram fáceis de ler graças à excelente caligrafia de Foos. Inclinei-me sobre a mesa para dar uma olhada no manuscrito e vi seu título na capa: *Diário do Voyeur*.

"Você provavelmente não percebeu na noite passada", continuou Foos, "mas há um lugar no sótão onde escondo alguns blocos pequenos junto com lápis e duas lanternas. Quando vejo ou ouço alguma coisa que me interessa, anoto rapidamente e depois, quando estou sozinho aqui no escritório, elaboro o texto. Costumo me lembrar de coisas aqui que tinha esquecido de escrever quando estava lá em cima. Como eu disse, trabalho nesse diário há quase quinze anos e, desde que ninguém saiba que o escrevi, ficaria feliz que você o lesse, e em breve lhe enviarei a primeira parte."

"Obrigado", eu disse, mas me perguntei: por que ele registrou tudo isso no papel? Não é suficiente para um voyeur sentir prazer e uma sensação de poder, sem ter de escrever sobre isso? Será que os voyeurs precisam às vezes escapar da longa solidão expondo-se para outras pessoas (como Foos fizera primeiro com sua esposa e mais tarde comigo), e depois procurar uma plateia maior, como um escrivão anônimo do que testemunhou?

O professor Marcus formulou questões semelhantes em sua análise do cavalheiro vitoriano que escreveu *Minha vida secreta*.

"Embora o autor afirme com frequência que está escrevendo apenas para si mesmo e manifeste dúvidas e hesitações quanto a mostrar sua obra a alguém [...], está claro que nenhuma dessas declarações é para ser levada ao pé da letra", escreve Marcus, acrescentando: "Se ele realmente quisesse manter sua vida secreta em segredo, não teria posto a pena no papel". O autor de *Minha vida secreta*, no entanto, pode ter sofrido outras influências.

"Uma segunda razão que ele às vezes destaca é que sua obra é um grito no escuro", escreve Marcus, e, estando "consciente do seu isolamento e de sua ignorância em relação às ideias e aos comportamentos sexuais dos outros, deseja aprender a respeito deles e dizer alguma coisa sobre si mesmo. [...] Ele pergunta se todos os homens se sentem e se comportam como ele, e conclui: 'Não tenho como saber isso; minha experiência, se impressa, talvez permita que outros comparem, o que eu não posso fazer'".

O professor Marcus prossegue: "Devemos conceder um certo grau de validade a essa afirmação, lembrando-nos que, no século XIX, o romance tinha exatamente essa função".

No resto de minha visita a Aurora, acompanhei outras vezes Foos ao observatório do sótão. Ao olhar através das persianas, vi principalmente pessoas infelizes que assistiam à televisão, reclamavam umas às outras de pequenos males físicos, faziam referências infelizes aos empregos que tinham e queixavam-se constantemente da falta de dinheiro — as coisas normais que as pessoas dizem todos os dias umas às outras, se são casadas ou moram junto de algum modo, mas que nunca são noticiadas ou sobre as quais não se pensa muito para além do relacionamento entre duas pessoas. Para mim, sem a expectativa carregada de atividade erótica do Voyeur, aquilo era um tédio sem fim, encenado em um quarto de motel por casais normais todos os dias do ano, pelo resto da eternidade.

Quando deixei Denver para voltar para casa, achei que nunca mais veria o Voyeur e certamente não tinha nenhuma esperança de escrever sobre ele. Eu sabia que o que ele fazia era completamente ilegal (e também me perguntava a respeito da legalidade do meu comportamento ao fazer a mesma coisa sob o seu teto) e insisti que não escreveria sobre ele sem usar seu nome. Ele sabia que isso era impossível. Ambos concordamos que era impossível. Então voltei para Nova York. Eu tinha um grande livro para promover.

5.

Uma semana depois de ter chegado em casa, em Nova York, recebi de Gerald Foos as primeiras vinte páginas do *Diário do Voyeur*, que começa em 1965.

> *Hoje foi a realização e concretização de um sonho que ocupou minha mente e meu ser por tanto tempo. Comprei o Manor House Motel, e esse sonho se consumou. Finalmente, serei capaz de satisfazer meu desejo constante e incontrolável de espiar a vida de outras pessoas. Meu ímpeto de voyeur será agora posto em prática num plano mais elevado do que qualquer pessoa já contemplou. Meus contemporâneos só poderiam sonhar com o que eu vou realmente fazer com as instalações do Manor House Motel.*

No entanto, ele precisou de vários meses, e enfrentou muita frustração, até que conseguisse converter seu sótão numa plataforma de observação. Do *Diário do Voyeur*:

18 de novembro de 1966 — O negócio vai muito bem e estou deixando de observar vários hóspedes interessantes, mas paciência sempre foi o meu lema e devo realizar essa tarefa com o máximo de perfeição e inteligência. A oficina de fabricação terá amanhã um respiradouro experimental pronto de acordo com minhas especificações. Aguardo com grande expectativa e espero que funcione corretamente e satisfaça minhas necessidades.

19 de novembro de 1966 — O respiradouro não funciona! Cortei um buraco no teto do n. 6 e coloquei o respiradouro no buraco, e minha esposa, Donna, às vezes podia ser vista na estação de observação no teto. Preciso tirar o respiro, cortar lâminas menores na frente e dobrá-las num ângulo estrategicamente projetado para defletir a luz.

20 de novembro de 1966 — A oficina de chapas de metal pensa que estou construindo algum defletor de calor especial. Rá!! Essas maravilhas simplórias de quarenta horas por semana não teriam inteligência para descobrir o que estou fazendo se fosse revelado a eles. Reconstruir esse respiradouro está saindo caro, mas preciso dele a qualquer custo.

21 de novembro de 1966 — Esses idiotas que trabalham nessa oficina de chapas de metal são umas antas. Nunca pensam em nada além de cigarros ou cerveja. "Esse respiradouro nunca vai funcionar corretamente", dizem eles. Se eu lhes dissesse para que ele vai servir, provavelmente não entenderiam.

22 de novembro de 1966 — Instalei o respiradouro no n. 6, e depois de várias falhas na fabricação está funcionando perfeitamente. Enfim tenho um quarto para utilizar como laborató-

rio de observação pessoal. Donna, minha esposa, espiou pela abertura do teto e eu não consegui vê-la de baixo, por mais que ela aproximasse seu rosto do respiro. Verificamos a abertura à noite com as luzes acesas e ela não podia ser vista. Maravilha! Desenvolvi finalmente o método mais adequado de observar hóspedes que ocupam o quarto sem que jamais percebam alguma coisa. [...] *Terei o melhor laboratório do mundo para observar pessoas em seu estado natural e, então, começar a descobrir o que se passa exatamente por trás das portas fechadas dos quartos, tanto os procedimentos como os comportamentos.*

23 de novembro de 1966 — O trabalho é cansativo! Estou ocupado na construção de uma passarela de aproximadamente um metro de largura no centro do sótão do Manor House Motel. [...] *Vamos acarpetar a passarela para ficar mais fácil andar e engatinhar. Além disso, faremos a passarela mais larga em cada respiradouro para que duas pessoas possam observar ao mesmo tempo, e isso também permitirá uma conversa reservada, sem barulho, entre os observadores.*

24 de novembro de 1966 — O laboratório de observação está concluído e pronto para ser alugado para uma vasta gama de hóspedes. Minha expectativa logo vai se cumprir, e minhas tendências voyeurísticas e o meu interesse irresistível pela conduta de vida de diferentes pessoas estão prestes a ser satisfeitos e se materializar.

Mais tarde, no mesmo dia:

Objeto de estudo n. 1

Descrição: Homem branco, c. 35 anos, em Denver a negócios. 1,78 m, 80 kg, colarinho branco, provavelmente educação superior. Mulher, 35 anos, 1,62 m, 59 kg, agradavelmente roliça, cabelo preto, origem italiana, instruída, 94-71-94.

Atividade: O quarto n. 10 foi alugado para este casal às 19h por mim. Ele se registrou e notei que tinha classe e seria um hóspede perfeito para ter a distinção de ser o número 1. Depois do registro, fui imediatamente para a passarela de observação. [...] Foi fantástico ver os meus primeiros objetos de estudo, para a observação inicial, entrarem no quarto. Eles entraram no meu campo de visão, mais nítidos do que o previsto, e foi ótimo. Tive um sentimento de enorme poder e júbilo diante da minha façanha. Eu tinha conseguido o que outros homens só tinham sonhado fazer, e o pensamento de superioridade e inteligência ocupou minha mente. A gente só vive uma vez, e com determinação incansável e dedicação eu estava realizando meu sonho.

Ao espiar pela abertura da minha plataforma de observação, pude ver todo o quarto do motel e, para meu deleite, o banheiro também estava visível, junto com a pia, o vaso sanitário e a banheira. A visão era excelente, mais do que eu havia imaginado. Visto de dentro do quarto do motel, o respiradouro de 15 × 35 estava pintado da mesma cor do quarto. Os hóspedes provavelmente imaginariam que se tratava de uma abertura de ventilação ou ejetor de ar viciado. Parece perfeitamente natural no ambiente que foi criado para ele.

Eu podia ver os indivíduos abaixo de mim e, sem dúvida, eram um casal perfeito para ser o primeiro a ocupar o palco criado especialmente para eles, e para muitos outros a seguir, e eu seria a plateia. Depois de ir ao banheiro com a porta fechada, ela se sentou à frente do espelho olhando para seu cabelo e notou que estava ficando grisalha. Ele estava mal-humorado e parecia incomodado com seu compromisso em Denver. A noite passou sem incidentes até 20h30, quando ela finalmente se despiu, revelando um corpo bonito, levemente roliço, mas, de qualquer forma, sexualmente atraente. Ele pareceu desinteressado quando ela se deitou na cama ao seu lado, e ele começou a fumar um cigarro atrás do outro e a assistir à TV. [...] Por fim, depois de beijá-la e acariciá-la, teve rapidamente uma ereção e entrou nela na posição superior, com pouca ou nenhuma preliminar, e chegou ao orgasmo em cerca de cinco minutos. Ela não teve orgasmo e foi ao banheiro para limpar o sêmen, imediatamente. Desligaram a luz e a TV e foram dormir sem qualquer comentário ou conversa.

Conclusão: Não são um casal feliz. Ele está muito preocupado com sua posição e não tem tempo para ela. Ele é muito ignorante do procedimento sexual e das preliminares, apesar de sua educação universitária.

É um início muito medíocre para o meu laboratório de observação. [...] Tenho certeza de que as coisas vão melhorar.

As coisas não melhoraram para Gerald Foos no que diz respeito ao segundo casal, e ele não gastou muitas linhas para escrever sobre eles.

25 de novembro de 1966

Objeto de estudo n. 2

Descrição: Homem negro, c. 30 anos, emprego desconhecido, 1,80 m, 84 kg. Companheira, 30 anos, 1,65 m, 55 kg, emprego desconhecido.

Atividade: O quarto n. 4 foi alugado para este homem negro e sua acompanhante negra às 13h. Entraram no quarto e discutiam a tentativa dele de receber o dinheiro de um amigo, mas até agora sem sucesso. Toda a conversa foi em relação ao dinheiro que ele iria receber de fontes, ou a obter de outras fontes. [...] Ele trouxe meio litro de uísque barato, que mistu-

raram com água e beberam. Nos quinze minutos seguintes, rolaram sobre a cama tentando tirar a roupa. Não falaram nada durante esse tempo. Depois de finalmente se despirem, ele puxou lençol, cobertor e colcha e os cobriu completamente até o nariz. Ele entrou imediatamente nela e, depois de meter durante vários minutos, as cobertas desceram abaixo de seu traseiro, mas ele parou e as puxou de volta acima da cabeça. Ele precisava continuar coberto. Depois do orgasmo, não se limparam. Ela não foi ao banheiro e ele começou sua conversa sobre dinheiro. Vestiram-se e saíram imediatamente às 15h.

26 de novembro de 1966

Objeto de estudo n. 3

Descrição: Homem branco, c. 50 anos, 1,67 m, 66 kg, educado, bem-cuidado e bem-vestido. Esposa, c. 50 anos, 1,55 m, 59 kg, bem-cuidada e bem-vestida, educada, cabelos pretos ficando grisalhos, origem alemã, visitando filho e nora na região de Aurora no feriado de Ação de Graças.

Atividade: O quarto n. 12 foi alugado a este casal mais velho de excelente aparência por um período de três dias. Observei o casal em várias ocasiões diferentes, depois que entraram às 16h, e eles estavam ocupados preparando-se para encontrar a esposa do filho pela primeira vez, e, do que pude deduzir de sua conversa, aparentemente não a aprovavam. Eles voltaram à meia-noite e ainda estavam irritados com a situação relacionada à nora, e continuaram a discutir e refletir sobre a ideia de não dizer ao filho como se sentiam. Ele disse que a mulher de seu filho era provavelmente "boa de cama", e que era provavelmente por isso que se casara com ela. [A esposa] tirou a roupa, soltou a alça do sutiã girando-o para a frente. Ela tirou os sapatos e pulverizou o interior deles com algum tipo de desodorante. Preparou um banho e lavou o cabelo na pia. Depois de enrolar os cabelos numa toalha, entrou na banheira e lavou-se, ficando de joelhos para esfregar a área vaginal. Após o banho, passou uma hora preparando seu cabelo com rolos e arrumando-se na frente do espelho. É uma mulher de cinquenta anos de idade! Imagina quantas horas desperdiçou em sua vida. A essa altura, o marido está dormindo e não houve sexo nesta noite [...].

Na manhã seguinte, às 9h, observei-a fazendo-lhe sexo oral até o fim, com o esperma escorrendo pelo rosto. Teve um orgasmo completo sem qualquer ajuda dele.

Observei-os nos dois dias seguintes e desfrutaram de uma combinação de relação sexual e sexo oral em outra ocasião.

Conclusão: Casal mais velho instruído, de classe média alta que desfruta de uma vida sexual fantástica.

6.

Entre os feriados de Ação de Graças e de Natal de 1966, Gerald Foos passou tempo suficiente em seu sótão para observar 46 de seus hóspedes participando de algum tipo de atividade sexual, às vezes sozinhos, às vezes com um parceiro e, em uma ocasião, com dois parceiros.

Apesar dos muitos anos de voyeur freelancer antes de comprar o motel, Foos nunca tinha assistido a um trio em ação e, assim, no final da tarde de 15 de dezembro, não esperava nada incomum quando dois homens impecavelmente vestidos e uma mulher se aproximaram da recepção e pediram um único quarto para a noite.

"A caldeira de nossa casa simplesmente parou de funcionar, e minha esposa está congelando", disse o homem mais alto, um indivíduo de ombros largos, cabelos ruivos, de trinta e poucos anos, que usava uma jaqueta esporte de camurça ocre sobre um suéter de gola alta marrom. A mulher sorriu, enquanto o jovem ficou atrás do casal sem dizer nada.

Depois que o homem ruivo assinou o livro de registros, listando o nome dele e o de sua esposa, ao mesmo tempo que ignorava o do acompanhante, o instinto de Foos foi dizer alguma coisa, mas ele resistiu quando a mulher pediu que ele recomendasse um restaurante nas proximidades. Foos supôs que os três logo sairiam para jantar e que somente o casal retornaria para passar a noite. Depois de entregar-lhes a chave do quarto 9, Foos os observou caminhando em direção ao prédio principal, cada um carregando uma bolsa para passar a noite. Ao verificar o registro, percebeu que o homem ruivo dera como endereço o nome e a localização de uma loja de aspiradores de pó localizada no centro de Denver.

Uma vez que Viola ainda estava de plantão, Foos pediu licença rapidamente, foi para o sótão, posicionou-se acima do quarto 9 e escreveu num bloco de notas o que viu.

> *Era um casal muito bem-educado, muito organizado, com um acompanhante do sexo masculino. O marido tirou imediatamente toda a roupa, exceto a cueca. Sua esposa despiu-se e o mesmo fez o acompanhante, que revelou um grande pênis de pelo menos vinte a 25 centímetros. O marido estava interessado em tirar fotos de sua esposa chupando o pênis imenso e segurando-o na mão.*
>
> *Eles passaram então a ter relações sexuais em várias posições diferentes, enquanto o marido continuava a tirar fotos e também começava a se masturbar durante o ato. Eles assumiram a posição feminina superior e o marido ficou bem perto do pênis que entrava e exclamou: "Você tem um belo pau grande e eu adoro vê-lo entrar e sair". O marido estava agora mais ativamente engajado na masturbação e chegou ao orgasmo ao mesmo tempo que sua esposa e o acompanhante. Então, o marido disse: "Segura aí, não tira seu pau até a câmera estar pronta". Ele tirou várias fotos do pênis do acompanhante ainda enfiado na vagina da esposa, com o sêmen escorrendo. Durante*

algum tempo, os três ficaram quietos na cama e relaxaram, discutindo vendas de aspiradores. O acompanhante é aparentemente representante de vendas da empresa de aspiradores de pó que o marido e a esposa dirigem. Mais tarde, os três se vestiram e saíram.

E assim eu vi meu primeiro episódio de "sexo a três", que permite que esse marido satisfaça seu impulso de voyeur. Eu podia perfeitamente me ver desempenhando o papel do marido, e definitivamente gostaria de explorar as possibilidades de ver isso acontecer na minha vida. Eu realmente gostaria de participar, e me desagrada ter de, nesse momento, continuar a ser um observador. A propósito, esse foi o maior pênis que vi até agora.

Na noite seguinte, duas jovens de Vallejo, Califórnia, ambas professoras que participavam de um seminário em Denver, chegaram ao Manor House Motel e foram recebidas por Gerald Foos. Depois de atribuir-lhes o quarto 5, que tinha duas camas de casal, entregou mapas locais e folhetos turísticos e acompanhou-as até o quarto no prédio principal, carregando suas malas. Antes de fechar a porta e dar-lhes duas chaves, disse que estava à disposição para ajudá-las. Depois de dar boa-noite, dirigiu-se para a despensa e a escada que levava à plataforma de observação e ao bloco de notas.

Elas são jovens muito atraentes, uma delas loira peituda, de mais ou menos 1,70 m e 54 kg, e a outra morena de 1,60 m e 50 kg. Depois de um tempo, elas tiraram as roupas e a loira fez uma massagem na outra, e isso levou lentamente a uma relação sexual muito diferente do que vejo quando as mulheres estão com homens. Com as mulheres, as ações físicas são mais recíprocas. Tecnicamente, as mulheres fazem juntas o que ho-

mens e mulheres fazem — tocam-se, beijam-se e acariciam-se, exceto que não há pênis. Ainda tenho de observar lésbicas que usam vibrador. Acho que o vibrador é uma grande viagem pornô dos homens.

A loira está agora beijando de língua a outra, e também está tocando-a muito de leve com a língua e as mãos por todo o corpo, especialmente nas nádegas e no baixo-ventre. A loira está fazendo estimulação clitoridiana com os dedos, e agora está usando a boca e a língua. Isso continuou por algum tempo com a gentileza de uma emoção sem pressa, e ora sua língua lambia gentilmente o clitóris, ora sua boca chupava forte, e, por fim, com dois dedos da mão direita mexendo logo acima do clitóris num movimento cada vez mais rápido para cima e para baixo, fez a outra ter um orgasmo. Imediatamente após o orgasmo, a loira levou a boca e os lábios à vagina da morena e sacudiu a cabeça rapidamente de um lado para outro, o que resultou em um orgasmo ainda maior para a morena.

Depois de um período de conversa tranquila, a mulher mais baixa, a morena, começou a acariciar os seios da mulher loira e a explorar a área dos mamilos, e disse: "Eu adoro chupar seus seios e amo o gosto salgado de suor que eles têm".

"Eles têm sabor salgado?", perguntou a outra. "Sim", disse a morena. "Os seus não têm", disse a loira, "mas acho que fico mais excitada que você."

Durante um período de três a cinco horas, elas se acariciaram, tocaram, abraçaram, afagaram, beijaram os lábios, deram beijos de língua, estimularam o clitóris, tanto manual como oralmente, e mantiveram uma conversa íntima antes, durante e depois do sexo.

Conclusão: Fico sempre impressionado com os relacionamentos amorosos e afetuosos que vi regularmente entre mulheres lésbicas. Seus sentimentos de simpatia, compaixão e com-

preensão superam em muito a relação entre homens e mulheres. O sexo não é apenas sexo, não importa se hétero ou homo. Tem mais a ver com a maneira como os homens são levados a considerar seus corpos, toque e sensualidade, em comparação com o modo como as mulheres aprendem a fazer isso. Essas mulheres poderiam resumir isso com a expressão "fazer amor" em vez de "fazer sexo". Infelizmente, a maioria dos homens que observei está preocupada com o seu próprio prazer e não com o das mulheres. Há muito menos amor emocional do que amor físico. As lésbicas, por outro lado, são melhores amantes umas para as outras; elas sabem o que sua parceira quer e, acima de tudo, há uma proximidade emocional que os homens nunca vão conseguir atingir. Mais ternura, mais consideração e compreensão dos sentimentos etc.

Não há somente um determinado procedimento e, o que é mais importante de tudo, em geral a estimulação do clitóris com o dedo ou a língua produz orgasmo garantido em algum momento. As mulheres parecem ter uma energia mais sustentada após o orgasmo. E isso não acaba necessária e automaticamente porque alguém teve um orgasmo. Essas duas mulheres parecem ter uma vida feliz; no entanto, o pouco da conversa que ouvi indica que se sentem um pouco desconfortáveis com os seus pares e estão sentindo pressão ou medo, em consequência de suas interações como professoras.

As duas professoras foram as únicas amantes lésbicas que ficaram no Manor House nas últimas semanas de 1966, e o trio da empresa de aspiradores de pó representou o primeiro exemplo de sexo grupal do motel registrado por Foos, descrito em seu relatório como "pervertido". Em poucos anos, no entanto, à medida que o sexo grupal tornava-se mais popular e a Revolução Sexual recebia ampla cobertura na mídia, ter um parceiro de cama adicional deixaria de ser considerado anormal ou "pervertido". Isso criou uma questão financeira para o motel de Foos: ele deveria cobrar mais de trios ou quartetos do que de casais?

Do jeito que estavam as coisas, tarifas adicionais só eram cobradas de hóspedes que chegavam com animais de estimação, mas os quinze dólares por dia eram reembolsados quando os hóspedes iam embora, se os animais não tivessem causado nenhum dano ao interior do quarto ou sobrecarregado a camareira. Ainda assim, era com pouco entusiasmo que Gerald Foos recebia hóspedes acompanhados por cães, e foi isso que aconteceu quando um casal de meia-idade de Atlanta em férias chegou trazendo pela coleira um cão grande e agitado.

Em circunstâncias normais, Foos teria atribuído a esse casal apresentável, mas de aparência comum, um quarto sem abertura, pois nada neles atraía sua curiosidade sexual; mas a natureza prudente de Foos levou-o a considerar o cão de forma diferente. Ele deveria ser observado, decidiu Foos, e assim, depois que o casal concordou com a política de tarifa sobre animais de estimação, eles receberam uma chave para o quarto 4.

Mais tarde, no sótão, depois que Foos passara uma hora observando que o cão tentava dormir em meio às discussões de seus donos, Foos escreveu no *Diário do Voyeur*:

> *Durante a observação, esta noite, vejo o mesmo padrão nojento repetir-se com essa gente.*
>
> *Em primeiro lugar, há o desacordo sobre quanto dinheiro gastaram nas férias e quanto sobrou!*
>
> *Depois, a esposa que bate-boca sobre como estão desperdiçando tempo, não vendo as atrações apropriadas, e tudo o que eles fazem quando saem de férias é assistir à TV! Em seguida, a mulher reclama do quarto e por que têm de ficar neste lixo, em vez de em algum grande hotel turístico. Fico um pouco nervoso*

quando alguém se refere ao meu motel como um lixo! Não é de primeira classe, mas é limpo e já recebeu hóspedes de todos os tipos. Ela está apenas tentando comprar briga com o marido, mas ele é uma pessoa passiva e mostra pouca ou nenhuma emoção em relação a seus insultos. Ela o acusa de não fazer nada como assistente social e diz que ele nunca vai ganhar dinheiro suficiente para agradá-la fazendo "este trabalho estúpido".

Pouco tempo depois, noto o cão cheirando atrás da grande cadeira do quarto e ele faz suas necessidades em uma grande pilha atrás da cadeira.

O casal nota o feito do cão e se esforça para remover os excrementos do carpete. Ela diz: "O gerente nunca vai saber que o cão chegou atrás da cadeira, porque a cadeira encobre e, além disso, limpamos tão bem que ele nunca vai notar". Ela continua: "O último motel em que ficamos nunca descobriu que ele fez cocô no carpete".

Depois desse episódio, foram para a cama e não fizeram nada, exceto manter intermináveis discussões entre os comerciais de TV. Na manhã seguinte, às dez horas, foram ao escritório para receber de volta o depósito de segurança relativo ao animal. Então pedi-lhes que me acompanhassem ao quarto e fiz minha inspeção. Removi a cadeira grande do canto do quarto e apontei para uma área do tapete onde eu tinha visto o cão se aliviar na noite passada.

Eu disse: "Estão vendo este ponto?". Eles disseram: "Não!". Eu disse: "Seu cachorro sujou o tapete aqui, e vou ter de passar xampu no carpete inteiro porque vocês deixaram o cachorro sujar o ambiente". Eles ficaram atordoados, mas não resistiram à ideia de o motel ficar com o depósito. Antes que saíssem, fui à plataforma de observação para ouvir a crítica deles. Estavam mergulhados numa discussão a respeito de como eu sabia a posição exata em que o cão havia se aliviado.

Eles não conseguiam acreditar — talvez eu tivesse um olfato extraordinário, ponderaram. Ou talvez eu fosse dotado de percepção extrassensorial. "Seus olhos devem ser capazes de ver pontos que não conseguimos ver", supuseram. "Talvez ele consiga olhar de algum modo pela janela, e viu o cão sujar o carpete", disse ele. "Ele é apenas um gerente idiota que provavelmente fica de qualquer maneira com todos os depósitos para si, e apenas teve sorte em apontar um ponto específico no carpete", disse ela. Com essa constatação partiram do motel, o Voyeur sendo o único a conhecer a correta apresentação dos fatos e sentindo uma risadinha vindo de dentro.

Conclusão: Minhas observações indicam que a maioria dos turistas passa o tempo mal-humorada. Eles brigam por causa de dinheiro, o que visitar, onde comer, onde ficar; ficam de alguma forma muito mais agressivos, e é nesse momento que descobrem que não combinam tão bem. As mulheres, em especial, têm dificuldade em se adaptar tanto aos novos ambientes como aos seus maridos. As férias fazem com que todas as ansiedades do interior do homem sejam despejadas para fora e tornem eternas as piores emoções. A maioria dessas pessoas parece estar muito contente quando estão juntas na recepção, pagando por mais um dia no motel ou enquanto pegam folhetos e propagandas.

Nunca se pode realmente saber, em suas aparições em público, que suas vidas privadas são um inferno de infelicidade. Ponderei por que é absolutamente obrigatório que as pessoas guardem com todo sigilo e nunca deixem transparecer que suas vidas pessoais são infelizes e deploráveis. Esse é o "suplício do corpus humano", e tenho certeza de que indica que veríamos acontecer um genocídio em massa caso a miséria da humanidade fosse toda revelada espontaneamente.

7.

O Centro Médico Fitzsimons do Exército, onde o presidente Dwight D. Eisenhower passou sete semanas se recuperando de um ataque cardíaco em 1955, era um grande complexo de edifícios que ficava a uma curta distância do Manor House Motel. Nos anos 1960 e 1970, serviu de lar temporário para centenas de veteranos feridos da Guerra do Vietnã. Gerald Foos era apenas levemente contra a guerra quando construiu sua plataforma de observação em 1966, mas, à medida que a guerra continuava, foi ficando profundamente abalado, porque via com frequência como era doloroso e humilhante para os soldados aleijados ter relações sexuais, ou tentar ter relações sexuais, com suas esposas ou namoradas, sempre que eles se hospedavam por um ou mais dias em seu motel. No *Diário do Voyeur*, em 15 de junho de 1970, ele escreveu:

Entrou no quarto 4 este recruta branco, que tem vinte e poucos anos e está confinado a uma cadeira de rodas, tendo perdido a perna direita no Vietnã. Estava acompanhado pela esposa, também de vinte e poucos anos, cerca de 1,60 m, esbelta e mui-

to bonita. Ela viera da casa deles em Michigan para visitá-lo, quando ele recebeu uma breve licença do Fitzsimons. Alugaram o quarto por cinco dias.

Quando da observação inicial, o indivíduo do sexo masculino ainda estava muito abalado e estressado a respeito da perda de sua perna direita, abaixo do joelho, e experimentava uma grande dificuldade em adaptar-se à perna artificial. Quando removeu a perna artificial, o toco estava completamente em carne viva, inflamado e aberto, e causava-lhe grande dor e desconforto. [...]

O indivíduo forneceu detalhes para dizer como o Exército e a sociedade tinham se esquecido de homens como ele e que a guerra no Vietnã era um terrível desperdício de homens e materiais. A esposa concordou com ele e disse: "Por que você não foi para o Canadá como o Mike?".

Ele respondeu: "Eu certamente teria ido para o Canadá se soubesse de antemão que o Exército ia mentir e deturpar os fatos, mas eu estava muito preso à minha casa, minha família, ao país, e perdi a perspectiva dos verdadeiros problemas".

Mais tarde naquela noite, da abertura de observação, o Voyeur os observou no ato de fazer amor. Ela abriu duas garrafas de Coca-Cola, entregou um copo a ele e depois se sentou na cadeira diante dele, levantou e dobrou as pernas, seu minivestido subiu e ofereceu a ele e ao Voyeur uma visão clara de suas coxas curvilineamente adelgaçadas. Não estava usando calcinha. [...]

O indivíduo sorriu numa apreciação lasciva e, erguendo o copo num brinde, disse: "Ao que faz o mundo girar!".

"Sexo...?" Ela sorriu.

"Não! Dinheiro! É a única coisa pela qual as pessoas farão quase qualquer coisa. Por que você acha que estamos em guerra no Vietnã? É pelo maldito dinheiro."

Ele a tomou solidamente em seus braços e seus lábios procuraram e encontraram os dela, e foram os úmidos lábios rosados dela que afluíram à sua boca, penetrantes, enquanto as mãos dele começavam a explorar os contornos suaves do corpo da mulher. Pondo a mão em concha sobre o monte elástico de um pequeno seio esculpido através do material suave do vestido, ele o amassou suavemente, e as reações naturais e normais começaram a se materializar.

O indivíduo deslizou sua mão pelo ventre plano da mulher, depois ao longo da brancura macia de uma coxa primorosamente delgada, depois a enfiou sob a saia curta do vestido, permitindo que sua mão massageasse e acariciasse a pelagem encaracolada de seus pelos pubianos. [...] *O Voyeur podia ver os espasmos eróticos do corpo da mulher e as pequenas ondulações de seus quadris contra os dedos provocantes dele. Ela tirou o vestidinho para revelar as curvas de seu corpo suave, pequeno, feminino. Suas pernas estavam abertas, obscenamente, para o deleite do Voyeur observador.* [...] *Rapidamente, o indivíduo tirou a roupa, ficando apenas com a cueca a cobri-lo parcialmente. Dentro da cueca, seu pênis estava muito rígido.* [...] *Freneticamente, o indivíduo encaixou sua pélvis entre as coxas, tirou o pênis da perna da cueca e, numa arremetida suave e poderosa, enfiou profundamente seu pênis na vagina, que o engoliu.* [...]

Várias arremetidas depois, o indivíduo chegou ao orgasmo. Com um gemido, caiu em cima dela. [...] *Ela não atingiu o orgasmo e ficou definitivamente infeliz com a situação perturbadora. Ele rolou para longe e rapidamente se arrastou para fora da cama numa perna. Ele disse: "Espero que você se lembre de quando eu tinha duas pernas boas".* [...]

Nos cinco dias seguintes, o Voyeur observou esse casal de vez em quando, e eles não se conciliaram ou se adaptaram ao fato

> *de o indivíduo ter perdido a perna. Isso estava prejudicando seu relacionamento, e acredito que sua esposa nunca vai aceitar sua deficiência, o que acabará por levar ao divórcio.*

Alguns anos mais tarde, outro veterano ferido — este, paraplégico — registrou-se no Manor House com a esposa. Foos observou como a mulher tentou ajudar o marido a sair da cadeira de rodas e subir na cama.

> *Mas ele disse rispidamente: "Eu consigo fazer isso. Não quero qualquer ajuda ou assistência". Ele tirou os sapatos e as calças e disse, "Aqui, pode esvaziar minha bolsa". Ele não tinha controle da bexiga e teve de pôr um cateter. Ela tirou o tubo ligado ao seu pênis e esvaziou a bolsa no banheiro. Depois, recolocou a bolsa.*
>
> *Ela se despiu e [...] segurou os seios diante do rosto dele para que ele olhasse, e ele reagiu, beijando e chupando-os suavemente. Ela disse: "Preciso tomar um banho". Durante seu banho, ele permaneceu imóvel e assistiu à TV. Quando ela terminou, reclinou-se na cama ao lado dele e ficou bem perto, abraçando-o e beijando-o.*
>
> *Ele perguntou: "Por que você continua a me amar nessas condições?". Ela respondeu: "Porque você ainda é a pessoa com que casei, e me lembro de nossos votos, na saúde e na doença".*
>
> *Ele a beijou profundamente, dizendo: "Se não fosse por você, acho que não conseguiria sobreviver".*
>
> *A esposa tirou o cateter e o masturbou até que ele tivesse uma ereção.*
>
> *Ela descansou a cabeça em seu abdômen e começou a lamber e chupar com cuidado seu pênis, pondo-o por inteiro na boca. Fez isso por quase uma hora, e ele definitivamente parecia ser capaz de ter alguma sensação, porque estava com a ex-*

pressão facial do prazer sexual, esticava a língua para fora e lambia os lábios. Ela montou nele na posição superior feminina e chegou ao orgasmo ao mesmo tempo que ele. [...]

Conclusão: Devido à proximidade do Hospital Fitzsimons ao motel, tive a oportunidade de observar muitas das tragédias deploráveis e lamentáveis da Guerra do Vietnã. Este indivíduo teve sorte. Tem uma esposa amorosa e compreensiva.

Ele provavelmente sobreviverá, mas o que acontecerá com as outras centenas de indivíduos que não têm alguém assim? A observação desses indivíduos tristes e desgraçados é uma tarefa muito difícil e desagradável e, consequentemente, só restam pesar e pena. Não há nada mais perturbador do que ouvir um indivíduo revelar que foi traído por seu país.

8.

A intenção do cavalheiro vitoriano em *Minha vida secreta* era escrever, como ele mesmo explicou, "sem qualquer consideração pelo que o mundo chama de decência", e, ao pesquisar para o livro de memórias, teve o que o professor Marcus chamou de "uma experiência do tipo Leopold Bloom — ele passa algum tempo espionando mulheres urinando e defecando".

Depois de ler as primeiras três ou quatro partes do *Diário de um Voyeur* de Foos — ele continuou a me enviar trechos do diário durante o inverno e a primavera de 1980 —, parecia que, tal como o cavalheiro vitoriano, Foos tinha grande interesse em invadir e relatar o que ocorre dentro do domínio mais privado da atividade diária: o banheiro.

Donna recebeu esta jovem atraente de Lemon, Colorado, que disse que seu marido estava participando de uma reunião da Reserva do Exército na cidade e eles precisariam de acomodações para a noite. Ela foi encaminhada ao quarto 6.

Por volta das quatro da tarde, depois que Donna foi para seu emprego, subi para a torre de vigia a fim de observar as atividades dessa dama.

Ao entrar no quarto, ela imediatamente ligou a televisão e foi ao banheiro para entregar-se a uma urinação ruidosa. Ela montava de lado, ou seja, sentava no vaso sanitário de lado, ou obliquamente, ao contrário dos que sentam na posição normal, de frente.

Os indivíduos variam na abordagem do assento do vaso sanitário. Alguns sentam-se com as costas contra a caixa d'água. Alguns inclinam-se para a frente. Alguns se inclinam tanto que vi pelo menos um indivíduo cair de cara no chão no meio de uma evacuação. A abordagem mais estranha foi a de um indivíduo que sempre se sentava de frente para a parede, com as pernas escanchadas sobre o vaso sanitário. Nessa posição, conseguia descansar os braços sobre a caixa d'água. Observaram-se vários indivíduos que não sentavam no vaso sanitário, apenas assumiam uma espécie de posição de cócoras sobre o vaso, possivelmente para não pegar infecções. Observaram-se todas as posições ou abordagens imagináveis do vaso sanitário.

Depois de sair do banheiro, a mulher despiu-se e expôs um belo corpo aos olhos encantados do obsessivo Voyeur. Na hora e meia seguinte, essa jovem mulher se arrumou, se enfeitou, se arranjou e se penteou cuidadosamente, e foi tão meticulosa nisso que nunca se sentia satisfeita. Por muito tempo, tirou e repôs um conjunto de brincos e continuou olhando com admiração ou condenação para sua imagem no espelho.

De repente, sorria para si mesma e, logo depois, parecia desgostosa com sua aparência.

Por fim, o marido chegou de seu encontro militar. Eles se abraçaram e, depois de falarem sobre a reunião da Reserva, ela ficou incomodada porque ele não notou seus brincos novos, e que ela havia furado as orelhas. Nesses momentos desagradáveis, ele a acusou de gastar dinheiro sem necessidade para furar as orelhas e comprar os brincos. Ela ficou contrariada e explicou que essa era uma das razões pelas quais o acompanhou a Denver, para furar as orelhas e comprar os brincos. Logo saíram para jantar e, ao voltar, pareciam ter retificado o desacordo anterior. Ligaram a TV e ela despiu-se rapidamente, enquanto ele ia ao banheiro. Ela puxou as alças do sutiã para baixo, sobre os ombros, enfiou uma camisola longa e grossa pela cabeça e tirou o sutiã por baixo. Deitou na cama e puxou as cobertas até o queixo.

Ele voltou, apagou todas as luzes e desligou a TV, mas deixou a porta do banheiro entreaberta, cuja luz ficou acesa. Isso deu a oportunidade de, pelo menos, registrar algumas observações a respeito desse casal infeliz. Após penetrá-la sem quaisquer preliminares ou lubrificação suficiente, ele pôs o ato sexual em movimento com estocadas vigorosas e puxou as cobertas até o pescoço para que ninguém pudesse ver seus movimentos. Ela começou a reclamar que ele a estava machucando, mas ele disse, "Você sempre diz que dói", e continuou suas estocadas até chegar ao orgasmo, em aproximadamente cinco minutos. Ela não teve nenhum prazer. Logo, ela voltou a reclamar que ele não havia notado nem percebido seus brincos.

Conclusão: Essa é a vida real. Essas são pessoas reais! Estou profundamente descontente que somente eu deva suportar o fardo de minhas observações. Esses indivíduos jamais encontrarão felicidade e o divórcio é inevitável. Ele não sabe a primeira coisa sobre sexo ou sua aplicação. A única coisa que sabe é penetrar e empurrar, até o orgasmo, debaixo das cobertas, com as luzes apagadas.

Meu voyeurismo contribuiu imensamente para que eu me tornasse um futilitário, e odeio esse condicionamento de minha alma. O que é repugnante é que a maioria dos hóspedes observados está em sintonia com esses indivíduos, tanto em concepção como no planejamento. Muitas abordagens diferentes da vida seriam implementadas imediatamente se nossa sociedade tivesse a oportunidade de ser voyeur por um dia.

9.

Ao refletir sobre seu "fardo" de voyeur dedicado, alguém que passava horas infinitas sozinho, conectado ao mundo de baixo principalmente pelos buracos do teto, Gerald Foos se via como uma figura presa numa armadilha. Ele não tinha controle sobre o que via, nem conseguia escapar de sua influência. Seu estado de ânimo variava dia a dia, hora a hora, guiado por seus hóspedes.

Fosse emocionalmente tocado pela visão de um veterano paralisado em busca do prazer sexual, ou indignado enquanto observava a senhora que montava de lado com o marido grosseiro na cama, as palavras de Foos em seu diário expressavam cada vez mais sentimentos de insatisfação com a sua prolongada ociosidade no sótão.

Ao prosseguir com a leitura das partes do diário que iam do final dos anos 1960 até meados da década de 1970, pareceu-me que ele se distanciava de si mesmo, passando a narração da primeira para a terceira pessoa. Às vezes, referia-se a si mesmo como "o Voyeur e Gerald", outras vezes apenas como "o Voyeur".

Observar o pôr do sol sobre as Montanhas Rochosas é uma espécie de ritual para o Voyeur e Gerald. O sol afunda lentamente no horizonte drapejando as montanhas com véus de laranja e vermelho.

Cada pôr do sol marca uma nova noite de observação — contanto que os hóspedes nos quartos favoreçam. As noites do Voyeur na plataforma de observação começam bem, mas em pouco tempo ele começa a se irritar diante da falta de ação nos quartos. [...] *Depois de uma noite de muitas observações, o Voyeur descia da plataforma e observava o amanhecer. Alimentava-se com comidas simples e, quando cansado, sentava-se e escrevia em seu diário, registrando os acontecimentos. O Voyeur pensava em como era excelente o cheiro do ar da manhã e fazia excursões ao longo do corredor externo do motel, no qual compartimentos ou quartos se abrem ao longo da passagem estreita, para cumprir sua missão de determinar se as luzes estavam acesas ou não nos quartos que o Voyeur acabara de observar. Ele estava sempre ciente dos acontecimentos em seu motel e nos quartos que recebiam os hóspedes observáveis, e fazia uma pausa, na expectativa de ter um vislumbre de um hóspede saindo de um quarto que havia observado durante a noite, e talvez ter uma pequena conversa.* [...]

E, às vezes, acreditava que poderia se comunicar do sótão com seus hóspedes através de telepatia.

Por exemplo, nesta noite em particular, a mulher estava reclinada na cama, a televisão desligada, e estava muito quieto no quarto abaixo do respiradouro. Ela era claramente de origem escandinava, de cabelos loiros acinzentados, olhos azul-claros, pele clara e sardenta. Sua figura era macia e suave, dócil e desejante. Seus cabelos lisos caíam pouco abaixo dos ombros, com mechas na testa. Tinha lábios grossos, da cor rosa-clara de um chiclete. O mesmo tom de cor-de-rosa era evidente sob o corpete de sua diáfana camisola de seda, que culminava em seus seios grandes, ligeiramente pendentes. [...]

Ela baixou a mão direita dos seios para a vagina e começou a esfregar o clitóris, parecendo ser apanhada no arrebatamento que corria por seu corpo, e o cheiro pegajoso da perfumada umidade vaginal ficou mais forte, mais poderoso para o nariz do Voyeur, a apenas dois metros de distância.

Sua inquietação então desapareceu, quando ela se reclinou na cama e começou a ler um livro. Uma vez que tinha sido um dia desinteressante e rotineiro no laboratório de observação, o Voyeur decidiu realizar um experimento utilizando o indivíduo do sexo feminino. O Voyeur vinha realizando experiências idênticas nos últimos dois anos e conseguira algum sucesso explorando indivíduos receptivos e inteligentes.

O Voyeur começou a se concentrar nos olhos da mulher e tentar transferir um pensamento. O pensamento que o Voyeur estava tentando transferir era para a mulher levantar os olhos do livro e olhar para cima em direção ao respiradouro. Depois de vários minutos frustrantes de concentração, ela finalmente levantou os olhos e olhou para a abertura de observação. Foi apenas um acidente do movimento voluntário, ou o Voyeur havia realmente se comunicado usando ondas cerebrais? Em várias outras ocasiões, o Voyeur incentivou um indivíduo do sexo feminino a levantar os olhos para o respiradouro. Esta mulher em particular era definitivamente marcada por uma percepção extraordinária. Mas depois de me concentrar sobre o indivíduo do sexo feminino por algum tempo, ela aparentemente ficou incomodada com esse fenômeno desconhecido que lhe foi imposto em sua intelectualidade, foi ao banheiro e fechou a porta. A experiência terminou quando ela voltou para o quarto, apagou a luz e foi dormir.

Conclusão: Se o objeto de estudo é uma mulher, e ela acaba de concluir a masturbação, tem-se uma excelente oportunidade de fazê-la reagir. Isso talvez ocorra devido a seu nível expandido de concentração. Indivíduos do sexo feminino parecem responder progressivamente melhor ao Voyeur do que indivíduos do sexo masculino. É provável que isso se deva ao fato de que o interesse do Voyeur está principalmente voltado para as mulheres, e ele experimenta um nível de pensamento mais forte nessa aplicação. [...] O Voyeur vai continuar com essas experiências e relatar quaisquer descobertas significativas ao diário no futuro.

Muitas vezes, Foss ficava irritado por passar várias horas estressantes assistindo a pessoas assistindo à televisão — especialmente aqueles casais atraentes que, em vez de transar, passavam todo o tempo na cama discutindo sobre o que ver, com os homens segurando o controle remoto, enquanto as mulheres ressentidas acabavam por se afundar embaixo dos cobertores.

Nós nos tornamos um país de maníacos por TV e dependemos desse meio para suprir todas as nossas necessidades emocionais. É rara a ocasião em que a TV não está ligada.

Igualmente repugnantes eram os fumantes inveterados, que mandavam suas toxinas através dos respiradouros para ele inalar; e havia também aqueles hóspedes que traziam lanche para o quarto e depois limpavam as mãos gordurosas na roupa de cama. Apenas uma vez, quando estava a postos no sótão, de onde testemunhava o comportamento privado de cerca de trezentas pessoas por ano, ele perdeu sua concentração de observador silencioso e falou através do respiro com uma pessoa lá embaixo.

O Voyeur passou pelo respiradouro n. 6 e notou que aquele indivíduo impertinente estava comendo frango frito sentado na cama. Ele havia chegado ao início do dia e, aparentemente, estava num intervalo entre compromissos. O indivíduo era limpo, aparentemente de inteligência média, mas tinha hábitos alimentares bagunçados e descuidados. Havia recebido guardanapos no restaurante, porque estavam sobre a cama, mas não fez uso deles. Em vez disso, esfregou as mãos na colcha, o que ia ser difícil de limpar.

O Voyeur continuou sua inspeção ocular desse indivíduo que expressava desrespeito absoluto pela propriedade do motel, e ele começou a limpar a barba e a boca na colcha!

A essa altura, o Voyeur estava histérico e, esquecendo momentaneamente a precariedade da sua posição junto ao respiradouro, gritou com raiva:

"Seu filho da puta!"

O Voyeur imediatamente pensou: "Ah, meu Deus, será que ele me ouviu?".

O sujeito parou de comer e olhou ao redor do quarto, depois foi para a janela e olhou para fora. Aparentemente, sabia que alguém havia gritado FDP, mas não conseguiu determinar de que direção viera o insulto. Foi até a janela e olhou para fora pela segunda vez e ponderou a situação por alguns minutos, depois continuou com seus hábitos alimentares animalescos.

O Voyeur ficou aliviado e prometeu a si mesmo que ia controlar melhor suas emoções no futuro.

10.

Mas Foos voltaria a perder o controle e, embora tenha se exasperado mais uma vez com os hábitos alimentares de seus hóspedes, a fonte de sua irritação desta vez foi a frustração de seu desejo voyeurístico.

Donna alojou no n. 4 um casal que estava viajando para comprar gado. Eram de Roundup, Montana, e a mulher era uma loira linda e esbelta de cerca de 25 anos, enquanto o marido era um pouco mais velho, rudemente bonito, de cerca de 1,80 m e 85 kg. Fizeram o check-in por volta das cinco e meia da tarde e estava ficando escuro quando subi ao laboratório de observação para assistir.

Haviam comprado hambúrgueres no McDonald's e começaram a comer assim que entraram no quarto. De imediato, notei que ela era muito bonita e tinha uma figura fantástica. Usava botas, jeans e uma camisa de faroeste apertada, e estava bem claro que pertencia à categoria das peitudas.

Mas, enquanto eu observava esse jovem casal comer, ficou

óbvio que não tinham boas maneiras. Eles simplesmente comiam o mais rápido possível, deixando cair pedaços no colo, e depois os jogavam no chão. Jovens não usam guardanapos, pelo menos a maioria — simplesmente limpam as mãos na calça jeans ou nos lençóis da cama.

Tudo bem, talvez eu veja pelo menos um pouco de sexo.

Os dois eram pouco comunicativos. Ele deitou na cama, totalmente vestido, e assistiu à TV na maior parte da noite. Ela escreveu uma carta, foi para o banheiro, fechou a porta e lá permaneceu por quase uma hora.

Quando saiu, ele disse grosseiramente: "Você ficou lá tanto tempo que aposto que agora está com um círculo marcado ao redor da bunda". Foi a primeira coisa que ele disse durante toda a noite, típica fala de caubói. Ela ficou definitivamente constrangida por essa declaração daquele idiota primitivo e vulgar.

Ele continuou assistindo a uma reprise de Gunsmoke e ela foi ao banheiro de novo. Quando voltou, estava de camisola com um roupão por cima.

Meu Deus, nunca vou conseguir olhar para aqueles seios magníficos! Há momentos em que é difícil ser voyeur, quando o seu desejo de observar não é satisfeito. Ela senta-se na cadeira e ele fuma e assiste à TV, e não há nenhuma comunicação entre eles. O que eu estou observando aqui é exatamente o que ocorre no relacionamento de cerca de 90% de todos os casais.

Muito mais tarde, ele se despiu e eles vão para a cama. Ele agora está a fim de sexo, mas ela não, especialmente porque ele a insultou mais cedo. Quando ele tirou as botas, detectei um cheiro que se aproximava do respiradouro e não era agradável. Ele deveria ter tomado um banho se queria alguma coisa com ela, mas não o fez. Depois de acariciá-la através da camisola e do robe, estava tendo algum sucesso em excitá-la.

A essa altura, acho que talvez ainda consiga olhar para aqueles seios, mas não, ele imediatamente sai da cama, apaga as luzes e desliga a televisão!

Agora estou completamente louco e enojado com o FDP. Tenho vontade de matá-lo. Ele retorna para a cama e começa a transar numa atmosfera na qual está à vontade, ou seja, na escuridão.

Não vou me conformar com isso. Volto ao térreo, ligo o meu carro e estaciono em frente ao quarto n. 4, deixando-o lá com os faróis acesos contra a janela deles.

Voltando à plataforma de observação, ele está de pé e espia através das cortinas, reclamando que "algum filho da puta deixou os faróis acesos".

A fim de cumprir o restante de seu procedimento sexual, ele aplaca sua ira ficando debaixo das cobertas para eliminar a luz. Ele finalmente faz com que ela se dispa, porque vejo suas mãos aparecerem no lado da cama e deixarem cair o robe e a camisola. O quarto está realmente bem iluminado e ele começa a investir como um animal debaixo das cobertas. Termina em três minutos e imediatamente recua e parte para o banheiro.

Por fim, consigo ver o corpo da mulher quando ela se descobre para limpar o sêmen na minha colcha. É muito bem-proporcionada, mas é provável que seja igualmente estúpida e burra.

Ele volta do banheiro e nota que as luzes do lado de fora ainda estão acesas. Ele diz: "Qual é o problema desse carro com as luzes acesas?".

Idiota, ele nunca vai saber qual é o meu problema, mas sei bastante da sua vida infeliz.

Conclusão: Eu ainda não consigo determinar para que sirvo. [...] Aparentemente, delegaram-me a responsabilidade deste fardo pesado que foi colocado em cima de mim — jamais poder contar para ninguém! Se a vaidade ou o destino designa essa posição para mim na vida, então serei consideravelmente diminuído por esse compromisso injusto. A depressão aumenta, mas vou em frente com minha pesquisa. Penso de vez em quando que talvez eu não exista, que seja apenas um produto dos sonhos dos indivíduos estudados. De qualquer modo, ninguém acreditaria em meus feitos de Voyeur e, portanto, uma manifestação semelhante a um sonho explicaria minha realidade.

Há definitivamente uma correlação entre os indivíduos que querem as luzes apagadas durante a atividade sexual e seu perfil. Normalmente, indivíduos de áreas rurais, tipos não instruídos, grupos minoritários, indivíduos de gerações mais velhas, indivíduos de influência sulista estão inclinados a entregar-se ao sexo na escuridão. Depois de observar tantos desses indivíduos, posso dizer quase imediatamente quem vai apagar as luzes. É difícil de explicar, mas registrei com precisão durante um ano inteiro indivíduos que apagavam as luzes e aqueles que a deixavam acesa na atividade sexual. Noventa por cento dos que apagavam a luz se encaixavam na categoria descrita acima.

11.

As limitações de espaço dos quartos do motel e os períodos de tempo relativamente curtos entre as entradas e saídas de seus hóspedes — ele alugou o quarto n. 4 a cinco hóspedes diferentes para "almoço executivo" numa memorável véspera de Ano-Novo — significavam que a vida mais ampla dos objetos de estudo do Voyeur permanecia geralmente *indeterminada*; mas, às vezes, se os hóspedes que haviam atraído seu interesse fossem também residentes da região de Denver, ele aproveitava a conveniência e visitava furtivamente suas casas.

Uma mulher que seguiu até em casa era uma senhora gorda de meia-idade, perto dos cinquenta anos, que, certa noite, mantivera relações sexuais no Manor House Motel com um cavalheiro bem-vestido e atraente de trinta e poucos anos.

Da conversa detalhada dos indivíduos, soube-se que eles se haviam conhecido em um baile da Parents Without Partners [Pais sem parceiros, PWP].

No motel, após servir uma bebida para os dois, o indivíduo do sexo feminino soltou a saia no chão e rapidamente tirou o suéter. Então ela disse: "Tira minha roupa. Tira minha calcinha e meu sutiã".

O indivíduo do sexo masculino segurou o fecho de seu sutiã e, num piscar de olhos, ele se foi, e os seios fartos da mulher bambolearam; o direito era um terço maior que o esquerdo e os dois balançavam como pêndulos.

"Você gosta do meu corpo, querido?", ela perguntou. "É fantástico", disse ele. "Você é linda."

O indivíduo do sexo masculino não perdeu tempo. Tirou a calcinha dela, levou-a para a cama e, depois de despir-se, abaixou-se e tocou com sua boca a vagina dela, e logo ela passou a gritar desesperada: "Me lambe, querido".

O indivíduo do sexo masculino, em seguida, retirou a boca e os dedos e disse: "Estou tendo dificuldades para pagar meu carro".

Ela se afastou, estendeu a mão até a mesa de cabeceira para pegar a bolsa e deu-lhe uma nota de cem dólares.

Depois de quinze minutos, o indivíduo do sexo feminino teve seu orgasmo e fez um esforço para executar a felação no indivíduo do sexo masculino, mas ele disse: "Eu estou realmente cansado, mas preciso de mais cinquenta dólares para terminar de pagar minhas contas". Ela pegou novamente a bolsa, deu-lhe o dinheiro e depois deslizou sua boca até o pênis — diretamente embaixo do observatório do voyeur.

Ela estava com muita vontade de fazer sexo oral nele e então engoliu completamente seu pênis, arrancando todo o sêmen que ele foi capaz de produzir.

No total, o ato levou quinze minutos, e ele foi embora em seu carro. Eu queria saber mais a respeito dela, por isso a segui até uma comunidade de aposentados perto do motel. Ela entrou numa unidade do final do complexo e esperei alguns mi-

nutos para que se instalasse. Aproximei-me da unidade pelo lado escuro da garagem, e sua janela dos fundos da cozinha estava com a cortina aberta. Na observação, pude ver a sala de estar, através da área da cozinha, e determinar que ela vivia sozinha, apenas com um cão de companhia. Ela estava chorando, caminhando pela sala. Seu rosto ficou coberto de lágrimas e ela estava visivelmente perturbada.

Fui até a frente da casa e vi que havia um único nome na caixa de correio. Andei pela quadra e perguntei a respeito dela num apartamento ao lado; disseram-me que seu marido fora morto no Vietnã e seu filho morava fora, fazendo faculdade.

Conclusão: A descoberta do tremendo desejo sexual que algumas mulheres de meia-idade manifestam durante esses encontros é uma tragédia definitiva. Elas não têm parceiros sexuais porque não são atraentes o suficiente para conseguir parceiros do sexo masculino, ou são reservadas e hesitantes. Os gigolôs, como este em particular, prometem às mulheres idosas prazer sexual e companhia social. Mas já vi esse mesmo gigolô no motel com homens mais velhos. Ele parece ser capaz de satisfazer mulheres ou homens e é fora do comum a facilidade com que se ajusta a essa mudança.

12.

Outro indivíduo que interessou Gerald Foos foi um médico de cinquenta anos que trabalhava num centro médico diferente do de Donna; presume-se que não tinha ideia de que uma enfermeira era coproprietária do motel que escolhia para seus interlúdios de "almoço executivo" ao meio-dia. Gerald Foos o observara antes e estava predisposto a não gostar dele, mas é preciso reconhecer que os sentimentos instintivos de Foos em relação a médicos eram raramente positivos.

> *A maioria dos médicos cultiva uma mística a respeito de si mesmos, como se representassem a alta hierarquia da humanidade e todos os outros devessem subserviência aos seus caprichos.* [...] *De todo modo, atribuí a esse médico em particular o quarto 9 e, como observei da plataforma, ele entrou no quarto sozinho, bem-vestido e composto. Tinha cerca de 35 anos, talvez 1,75 m e 68 kg, cabelos pretos bem curtos. No banheiro, afrouxou a gravata e se olhou no espelho, expressando o que parecia ser muita satisfação consigo mesmo. E então eu o vi*

urinar na pia! Sim, ele realmente estava urinando na pia! Por que raios ele fez isso? Depois lavou as mãos e o pênis na pia com as calças abaixadas até os joelhos.

Ouviu-se uma batida na porta.

Ele se apressou em puxar as calças para cima, foi até a porta e deixou entrar uma linda jovem que usava uniforme de enfermeira. Ela era realmente linda. Muito mais bonita do que a última mulher que ele trouxera ao motel. Ela o abraçou, mas também foi muito profissional na conversa, discutindo acontecimentos no hospital e o estado de determinados pacientes.

Ela tirou o uniforme, foi ao banheiro e deixou a porta aberta. Imagine, que sentimento absoluto de liberdade e franqueza. Depois voltou para o quarto, ficou de pé diretamente embaixo do respiradouro enquanto ele a beijava e tirava um grande e lindo seio de seu sutiã e o chupava, provocando suavemente o mamilo.

Ela reagiu baixando o zíper das calças dele e tirando seu pênis para fora. Sentou-se na cama diretamente abaixo de onde eu observava, segurando o pênis que subia lentamente em suas mãos e, em seguida, beijou a cabeça vermelho-arroxeada enquanto ele permanecia à sua frente. Ele se despiu enquanto ela continuava a chupar seu pênis, depois caiu na cama ao lado dela e abriu seu sutiã, liberando aqueles seios magníficos. As aréolas eram escuras e grandes, o que indica que ela provavelmente tinha filhos.

Eles adotaram a posição de 69, com ela em cima, e ela continuou assim até que teve um orgasmo, e depois outro. Ela continuou a chupar o pênis, e então ele gozou também, depois que seus dedos dos pés tinham se contraído e enquanto ele enfiava os dedos no traseiro dela. Depois que ela chupou de seu pênis os restos do líquido seminal, ele disse: "Meu Deus, Darlene, você quase me virou do avesso!".

"Eu sempre gosto de engolir sêmen", disse ela. "Sempre adorei sentir um pênis gozando na minha boca."

Eles descansaram e depois tiveram três outras relações sexuais naquela tarde — uma das exposições de puro sexo mais incríveis que testemunhei em anos de observação.

Depois que o médico foi embora e ela foi tomar banho, decidi que a seguiria. Esperei no meu carro e fui atrás de sua camionete, num percurso de quinze minutos que nos levou a um bairro bom de classe média. Quando ela parou na entrada de uma bela casa, diminuí a marcha e estacionei na rua, observando-a com meus binóculos. Havia triciclos em seu gramado e um balanço no quintal. Então vi duas crianças pequenas correndo para recebê-la quando ela saiu do carro.

Elas entraram e fiquei por ali, observando atrás de uns arbustos. Estava ficando escuro. Logo outro carro parou na garagem. Era um homem de terno. Provavelmente seu marido. Vi-a recebê-lo na porta com os braços estendidos e beijá-lo com os mesmos lábios que tinham tão perfeitamente alojado o pênis de outro homem apenas duas horas antes.

Conclusão: Levando em conta a aparência de sua carreira, sua casa, seus filhos e esse homem apresentável, estão presentes todos os ingredientes necessários para um casamento bem-sucedido. Talvez ele a negligencie. Talvez ela simplesmente precise de parceiros adicionais para satisfazer sua exuberante natureza sexual. Devo continuar observando.

Dos 296 hóspedes sexualmente ativos que Gerald Foos observou e sobre os quais escreveu num relatório anual de 1973, 195 eram pessoas brancas heterossexuais que, em geral, preferiam relações sexuais na posição papai e mamãe e, com menos frequência, também incluíam sexo oral e masturbação. Mas, independentemente das posições ou técnicas preferidas por esses indivíduos na cama, o resultado geral foi um total anual de 184 orgasmos masculinos e 33 femininos — um número que Foos admitiu que poderia estar superestimado, devido ao talento das mulheres para fingir orgasmos com o objetivo de lisonjear seus parceiros ou se livrarem com mais rapidez deles, ou um pouco de ambos.

Além dos 195 brancos heterossexuais, os restantes 74 hóspedes (dentro da contagem total de 296) foram contabilizados separadamente no diário de Foos da seguinte maneira:

* 26 hóspedes heterossexuais negros sexualmente ativos, e suas posições preferidas e proporção de orgasmos foram semelhantes às dos brancos;

* Dez hóspedes lésbicas brancas, as quais Gerald Foos observou revezando-se no *cunnilingus*;

* Sete homens homossexuais brancos que praticaram sexo oral e anal uns com os outros;

* Dez hóspedes que participaram de sexo inter-racial e que também praticaram sexo oral e coito;

* Quinze hóspedes registrados (alguns sozinhos, alguns com acompanhantes) cujo comportamento sexual, ou assexual, ou aberrante, ou indefinível foi classificado no *Diário do Voyeur* como parte de uma mistura variada; e, como exemplos, ele apresentava três cenas.

Cena n. 1:

Da plataforma de observação, notei todas as atividades normalmente associadas a um divertimento sexual verpertino. Ele a beija e acaricia logo abaixo da minha posição no respiradouro. Depois de se abraçarem por alguns minutos, abrem uma garrafa de bourbon e servem um drinque misturado com 7UP. A conversa concentra-se num jantar que desfrutaram na última semana, no alto das Montanhas Rochosas.

Depois dessa conversa, ela pede licença, vai ao banheiro e fecha a porta. Ele imediatamente pega o drinque dela, tira o pênis para fora da calça e urina na bebida. Ela sai do banheiro e ele diz: "À nossa saúde", erguendo seu copo, e ela aceita, pega seu drinque e bebe. Ele a observa cuidadosamente enquanto ela bebe o drinque cheio de urina e diz: "Este bourbon está realmente bom, não é?".

Ela responde: "Está, sim".

Ele pergunta: "Você já provou um bourbon melhor?".

Ela diz: "Na verdade, não".

De repente, ele pareceu ficar muito excitado sexualmente. Sem outra palavra, inclinou-se e deu um beijo de língua longo e molhado na boca dela, e ela abriu os lábios e chupou sua língua. [...]

Conclusão: Este indivíduo do sexo masculino exibia uma aberração que eu não tinha observado no passado. É provável que também goste de assistir a uma pessoa urinar, de que urinem em cima dele ou de urinar em outra pessoa, se tiver oportunidade.

Cena n. 2:

Durante a tarde, o Voyeur recebeu dois homens da Flórida impecavelmente vestidos e deu-lhes o quarto 9. O Voyeur não observou os indivíduos durante a noite por desinteresse. No dia seguinte, a empregada designada para limpar o n. 9 entrou no escritório e disse: "Acho que esses dois homens têm uma ovelha lá dentro porque ouvi muito 'méé méé', é melhor você verificar".

O Voyeur subiu à plataforma de observação e logo viu o homem mais velho e mais pesado sentado na cama assistindo ao mais jovem começar a vestir uma fantasia que parecia ser de uma cabra com chifres. O homem mais jovem colocou o adereço caprino canônico sobre a cabeça como uma lona. A indu-

mentária bizarra era basicamente preta e tinha uma longa cauda branca de talvez sessenta centímetros de comprimento.

Depois que terminou de vestir esse traje extravagante, o homem mais jovem imediatamente saltou de quatro no chão e começou a engatinhar e correr ao redor do quarto. Enquanto fazia esse espetáculo ostentoso, vocalizava e emitia sons semelhantes aos balidos de uma ovelha ou cabra.

A aberração continuou até ele completar várias voltas ao redor do quarto, quando então o indivíduo mais rotundo passou a perseguir o homem mais jovem apoiado nas mãos e nos joelhos.

"Você é divino", disse o homem rotundo, "nunca vi um garoto-ovelha mais bonito."

Então o homem rotundo levantou a longa cauda branca com as mãos e entrou no traseiro do homem jovem com seu pênis ereto enquanto este balia: "Méé, méé". Depois, o homem mais velho saiu do homem mais jovem e deitou-se em cima dele, segurando-o delicadamente, e então, depois de virá-lo, começou a chupar seu pênis até o orgasmo. [...]

Conclusão: Essa situação talvez pudesse ser classificada como perversidade, mas não deveria ser condenada porque ambos os indivíduos são participantes voluntários e, portanto, o Voyeur permanecerá não discriminatório em sua interpretação.

Cena n. 3:

Admiti esse homem bonito no quarto 6 e pensei que ele provavelmente traria uma garota mais tarde. Sob observação, ele trouxe uma mala para o quarto, abriu-a e colocou-a sobre a cama. Vendo que continha somente roupas femininas, pensei imediatamente que seriam para uma namorada que o visitaria mais tarde.

Ele tirou todas as suas roupas e, depois de dispor todas as roupas femininas numa fileira sobre a cama, pegou cada peça, a acariciou delicadamente e olhou para cada uma com grande apreço. Pareceu então ter uma sensação de grande prazer e relaxamento ao ver essas roupas do sexo oposto, expressando deleite ao sentir o material.

Depois de se vestir cuidadosamente de mulher, ficou muito impressionado com sua imagem no espelho e, em seguida, sentou-se e aplicou quantidades substanciais de maquiagem para completar seu cross-dressing.

Desfilou ao redor do quarto por vários minutos e partiu do quarto para destinos desconhecidos para mim. Não o vi voltar e ele provavelmente saiu do motel naquela noite quando voltou.

Conclusão: Travestis ou indivíduos praticantes de cross--dressing só foram observados em duas ou três ocasiões. Portanto, considero que se trata de uma prática rara. Esse indivíduo do sexo masculino foi observado tirando uma aliança de casamento e é provavelmente casado. Ele queria um lugar para demonstrar seu comportamento e escolheu um motel onde se sentiria seguro. O cross-dressing *desse homem possibilitava que ele expressasse o lado suave, gracioso, sensual de sua natureza que a sociedade não lhe permite expressar como homem.*

13.

De acordo com o relatório do Voyeur de 1974, que era o oitavo resumo anual do que vira e ouvira desde que começara a observar as pessoas de seu esconderijo no sótão, em 1966, 329 pessoas praticaram atividades sexuais que ele acreditava merecer atenção e descrição em seu diário. Mas grande parte do que viu em 1974 era semelhante ao que havia visto em 1973, bem como em anos anteriores, com exceção de duas categorias: sexo oral entre hóspedes heterossexuais brancos, que aumentou de apenas 12% para 44%, consequência talvez do lançamento do filme pornográfico *Garganta profunda* no verão de 1972, e sexo inter-racial.

Durante todo o ano de 1973, ele observara somente cinco casais inter-raciais transando, ao passo que, em 1974, esse número mais do que duplicou, chegando a doze casais; e dobrou novamente, entre 1975 e 1980, para uma média de 25 casais. Ele acrescentou: "A estatística mais surpreendente é a participação quase total dos casais inter-raciais em aventuras sexuais orais, que é praticamente completa para ambos os parceiros".

Outro sinal de mudança, a partir de meados da década de 1970, foi a maneira despreocupada com que casais inter-raciais se aproximavam da recepção do motel para alugar quartos. Uma década antes, em meados dos anos 1960, o Voyeur observara que uma mulher branca, por exemplo, jamais acompanhava o amante negro enquanto ele se registrava. Ela costumava permanecer no carro e juntava-se a ele depois que ele estivesse com a chave e já dentro do quarto.

Mas, em meados da década de 1970, essa reticência por parte de uma mulher branca ou negra foi substituída pela presença de casais juntos diante da recepção — o que o Voyeur considerava um dos muitos exemplos de como seu pequeno motel refletia as mudanças das tendências sociais e as atitudes em evolução que se disseminavam pelo país.

E, numa observação estritamente pessoal, o Voyeur reconheceu que achava particularmente estimulante assistir a sexo inter-racial, que, em uma ocasião, foi a fonte de seu mais "explosivo orgasmo".

Na plataforma de observação, nesta noite de outono de 1976, o Voyeur está se masturbando enquanto assiste a uma mulher branca quase engasgar porque o pênis negro em sua boca é grande demais para ela chupar. Mas ela continua a fazer felação no parceiro, chupando o pênis de um lado e depois do outro, e, de repente, quando ele começa a gozar, ela tira a boca e fica observando o esperma desse homem negro disparar para o ar, a mais de um metro em direção ao respiradouro de observação. Ao mesmo tempo, o Voyeur no sótão também está tendo um orgasmo, junto com o homem negro. O Voyeur lança um forte primeiro espasmo de espermatozoides direto na abertura, o qual começa a escorrer e vai cair junto ao pé da cama, lá embaixo.

A mulher, ainda segurando o pé da cama, vê indícios de esperma manchando a colcha. Então olha para cima, vê mais esperma pingando do respiradouro e diz ao parceiro: "Meu Deus, você atirou sua porra para o outro lado da cama, até a grade de aquecimento!". Ela ficou de pé sobre a cama e limpou o dedo nas lâminas do respiro. Em seguida, pôs os dedos em sua boca. "Sim", ela disse, "isso tem o gosto da sua porra."

E o Voyeur observou em silêncio enquanto ela continuava a provar seu esperma.

Como nota de rodapé a esse incidente, o Voyeur perguntou em seu diário: "Será que alguém vai acreditar que isso realmente aconteceu?".

Se não tivesse visto a plataforma de observação com meus próprios olhos, eu acharia difícil acreditar em tudo o que conta Foos. Com efeito, ao longo das décadas decorridas desde que nos conhecemos, em 1980, eu notara várias inconsistências em sua história: por exemplo, as primeiras anotações no *Diário do Voyeur* estão datadas de 1966, mas a escritura de venda do Manor House, que obtive recentemente do secretário do Condado de Arapahoe e do Registro de Imóveis, mostra que ele comprou o motel em 1969. E há outras datas em suas notas e diários que não batem. Não tenho nenhuma dúvida de que Foos era um voyeur épico, mas às vezes podia ser um narrador impreciso e não confiável. Não posso garantir a autenticidade de todos os detalhes que ele narra em seu manuscrito.

Por necessidade, Foos existia nas sombras, e fez isso com sucesso por muitos anos, sucesso que achava ser digno de nota — ao mesmo tempo que criava um laboratório excepcional para o estudo do comportamento humano secreto, pelo qual também acreditava que merecia algum crédito. Do modo como via as coisas, não era um escabroso bisbilhoteiro, mas um pesquisador pioneiro cujos esforços eram comparáveis aos dos renomados sexólogos do Instituto Kinsey e do Instituto Masters & Johnson. Grande parte da pesquisa e da documentação nesses locais foi obtida enquanto se observavam participantes voluntários, enquanto suas cobaias nunca souberam que estavam sendo observadas e, portanto, ele considerava suas descobertas mais representativas do realismo inconsciente e não adulterado.

No entanto, Gerald não era puramente um observador distante. "A fim de descobrir o que os indivíduos fariam se lhes fosse dada uma estimulação sexual adequada", o Voyeur plantou "parafernália sexual e pornografia pesada em seus quartos".

> *O Voyeur comprou cinquenta vibradores e várias revistas pornográficas pesadas para fazer um experimento. Escondia um vibrador e uma revista num quarto, geralmente na gaveta da mesa de cabeceira, e depois esperava por um indivíduo insuspeito e o colocava, ou a ela, ou um casal nesse quarto, dependendo do tipo de informação que desejava do indivíduo.*
>
> *Durante esse período de observação, o Voyeur não recebeu nenhuma reclamação dos indivíduos ou devolução de qualquer parafernália sexual plantada. Cinquenta por cento das mulheres utilizaram o vibrador ou as revistas, a outra metade ignorou os dispositivos ou os jogou fora.*

Uma das mulheres que utilizou os materiais plantados foi uma freira.

Em seu diário, Gerald escreveu que sua experimentação e sua observação tinham um propósito mais elevado.

"A única maneira de nossa sociedade alcançar a estabilidade sexual e a saúde mental adequadas, que são requisitos incontestáveis para a maturidade, é saber a verdade sobre o que as pessoas estão de fato fazendo na privacidade de seus quartos. Devemos educar as pessoas com a verdade, não doutrinar; ensinar fatos, não falácias; formular um código que aceite todas as práticas sexuais, não pregar o ascetismo."

Embora fosse verdade que Donna estivesse plenamente ciente de suas atividades e, às vezes, se juntasse a ele no sótão como segunda testemunha e parceira sexual, ele não obstante sentia necessidade de um reconhecimento mais amplo. Admitiu isso em seus escritos, que em meados da década de 1970 começaram a expressar não apenas o que ele via e sentia ao observar outras pessoas, mas também como ele se via e sentia a respeito de si mesmo, começando com suas origens como um garoto do interior cuja paixão pela bela tia Katheryn o levou a uma vida inteira de voyeurismo.

Em seus escritos, contou que costumava esgueirar-se do quarto durante a noite e, lentamente, percorrer uma estrada de terra e se agachar debaixo da janela iluminada da tia, na expectativa de vê-la nua. Ele narra na terceira pessoa, como em grande parte do que escreveu:

> *À noite, o jovem avançou em silêncio pela grama e passou para o outro lado da cerca de arame farpado* [...] *suas persianas estavam abertas, desavisadamente, deixando a brisa do noroeste atravessar os móveis do quarto. O jovem olhou para dentro, esqueceu o frio e a chuva do lado de fora, esqueceu a vida, esqueceu o tempo. Enquanto observava a tia, ela começou a andar na direção de suas coleções, que eram pequenas bonecas em miniatura e dedais, guardados numa caixa de madeira pendurada na parede. Minha tia estava nua enquanto avançava na direção de suas coleções com muita cautela e começou a mexer nos dedais com prudência e discrição. Seus movimentos com os dedais e com as bonecas em miniatura eram realizados*

de uma forma cavalheiresca, trazendo-os para perto de seus seios nus numa espécie de ritual sexual não compreendido pelo jovem que observava.

Ele também não conseguia entender por que sua tia Katheryn era tão diferente de sua mãe modesta e do resto da família, ao não vestir um roupão ou camisola enquanto caminhava por seu quarto com as persianas abertas. Mas não podia fazer mais perguntas sobre isso, pois não poderia explicar seu comportamento e arriscava ser castigado se suas rondas noturnas chegassem ao conhecimento de sua tia ou de outro membro da família que por acaso o visse perto da janela dela durante a noite.

O mais próximo que chegou de admitir seu interesse especial por ela ocorreu um dia em que confessou para sua mãe, antes de completar dez anos, que tinha inveja da coleção de dedais e bonecas da tia e também queria uma coleção. (Ele já havia roubado um dos dedais quando a tia estava fora, em férias curtas, mas o devolveu a tempo de evitar uma repreensão.)

"Bem, você não pode colecionar bonecas", disse sua mãe, "mas por que não começa a colecionar figurinhas de esportes?" E acrescentou: "Quando eu for à Gambles Hardware, vou comprar uns pacotes".

Isso deu início ao hobby de colecionar figurinhas de esportes que ele manteve pelo resto de sua vida e que o levaria a acumular mais de 2 milhões delas até o momento em que o conheci, em 1980, quando estava com 46 anos e somava quinze anos no Manor House Motel. Mas sua coleção sempre esteve ligada à sua atração de infância pela tia Katheryn, como explicou em suas anotações.

O jovem confundirá sexualidade com a arte de acumular objetos [...] *havia uma associação direta entre sua tia estar nua e [ele] colecionar. Uma vez que seu aniversário de dez anos estava a poucos dias de distância, ele prometeu começar um hábito de colecionar quase imediatamente, a fim de imitar as ações de sua tia.*

Mas, mesmo antes de completar dez anos, a presença da tia induziu sinais precoces do fetiche por pés que mais tarde imporia a sua namoradinha de colégio, Barbara White, levando ao rompimento do namoro. "Minha tia vinha de manhã tomar café para visitar minha mãe. Eu tinha mais ou menos seis anos, debaixo da mesa, olhando para os pés de minha tia Katheryn. Ela usava sapatos que deixavam os dedos à mostra. Eu queria tocar os dedos de seus pés."

Além de colecionar figurinhas — em anos posteriores, colecionaria também selos, moedas e armas de fogo antigas —, tinha um interesse infantil por caudas de rato-almiscarado.

Eu colecionava caudas de rato-almiscarado para determinar qual era a mais longa ou a mais curta. Era uma atividade muito fácil para mim, porque meu pai caçava ratos-almiscarados para complementar a renda familiar nos meses de inverno. Foi-me delegada a tarefa de alimentar os porcos com ratos-almiscarados esfolados; foi quando notei que eles não têm o mesmo comprimento de cauda. Em algumas semanas eu me cansava de um determinado comprimento e forma e, depois de colecionar a cauda de escolha, começava o processo de novo, guardando as outras caudas numa lata. Fazia isso de modo pouco escrupuloso, e meus pais acabaram por fazer objeções ao odor especial de meu quarto, e fui proibido de colecionar caudas de rato-almiscarado. Em comparação, colecionar figurinhas de esportes era uma coisa razoável e respeitável. Sem conhecimento claro, eu estava seguindo um padrão estabelecido ao longo do tempo, que era o caminho natural, previsível e esteticamente correto de acumular alguma coisa interessante.

O hábito de se masturbar o apresentou pela primeira vez ao prazer físico, mas foi também acompanhado por tanta culpa que ele procurou a orientação de um padre. "Fui me confessar com um velho padre muito rigoroso e perguntei a ele sobre isso. Para minha surpresa, ele disse que não era pecado. Disse que todos os homens e mulheres provavelmente se masturbavam. Ele não era liberal em suas crenças, mas teve compaixão."

Gerald também gostou de saber através de um colega mais velho que nenhum dano físico resultaria do ato de se masturbar e, além disso, lhe disseram para não se preocupar se alguma vez ejaculasse uma profusão de líquido seminal. "Esse homem mais velho me confirmou que era correto, que tudo bem e que, depois que conseguisse lançar nove grandes gotas, eu seria um homem. Uau! Fiquei contando o volume e as gotas depois de receber esse conselho e, finalmente, isso se materializou."

14.

Gerald foi o primeiro dos dois filhos de Natalie e Jake Foos. Era cinco anos mais velho do que seu irmão Jack e, embora tenham tido criação semelhante, frequentado as mesmas escolas e fossem fisicamente parecidos — cabelos pretos, olhos negros, pele clara, ossudos e altos —, a diferença de idade e de personalidade contribuiu para que não se conhecessem muito bem. Não tinham rivalidades nem laços fraternos. Na escola, nunca foram colegas de turma, de time ou confidentes. Cada um seguiu tranquilamente seu próprio caminho. Era como se fossem ambos filhos únicos.

Gerald era por natureza um "solitário", como reconheceu em seu diário. Quando não estava ocupado com tarefas agrícolas, espionando a tia, colecionando figurinhas ou indo a cavalo para a escola primária todas as manhãs, costumava "olhar para o céu e saber que havia alguma coisa no mundo para mim". Às vezes carregava consigo um romance juvenil sobre o Velho Oeste, ou *As aventuras de Huckleberry Finn*, de Mark Twain, que tomara emprestado da biblioteca municipal. Sua mãe o inventivara a se associar à biblioteca e, quando sentado a uma das mesas, ele olhava para as estantes e via centenas de livros com lombadas coloridas.

> *Era uma visão assombrosa para um menino que vivia numa fazenda onde os livros são quase desconhecidos, [...] em uma comunidade rural sem uma cultura comum ou tradição estética, no rescaldo da Grande Depressão, em que gente como minha família e meus parentes trabalhava e trabalhava e tinha pouco tempo para ler mais do que jornais. [...] Fiquei hipnotizado por livros e pelo que poderia ser chamado de "vida da mente", e a vida que não era trabalho manual, agricultura ou trabalho doméstico, mas parecia, em sua excepcionalidade, transcender essas atividades.*

Gerald raramente mencionava em seus escritos que tinha um irmão mais moço, exceto numa ocasião, quando seus pais pediram que ele partilhasse sua bicicleta com Jack, o que fez de bom grado, e em outra ocasião, quando Gerald descreveu os dois de pé próximos um do outro, do lado de fora da casa, enquanto seu pai, que fora jogador semiprofissional de beisebol, tentava ensinar Gerald a bater na bola com pouca força.

> *Os braços do meu pai estão em torno de mim. Suas mãos cobrem as minhas, empurrando-as delicadamente para cima em meu robusto taco de beisebol Louisville Slugger. "Você tem de encurtar o taco", papai me diz. "A batida depende do controle." Meu irmão está cortando a grama da frente e não presta atenção alguma a papai e a mim. "A batida lenta", diz papai, "é uma coisa bela, uma oportunidade de algo bom acontecer no futuro."*
>
> *Talvez ele se concentrasse exclusivamente na batida lenta porque não poderia bater com força no pequeno quintal da-*

quela pequena casa. Mas acho que era mais do que isso. A batida lenta não é uma virada de jogo, como um home run *ou um* triple play. *Em vez disso, empurra as coisas para adiante e mantém a bola o mais longe possível de onde os adversários querem que ela esteja, uma estratégia de cérebros sobre músculos e uma coisa que meu esperto pai compreendia.*

Meu irmão e eu não nos tornamos rebatedores de bola longa da Major League. Nenhum de nós mudou o mundo. Nos últimos anos, perdemos empregos, perdemos nosso gingado, perdemos nossa confiança, perdemos nossa fé, perdemos papai. Mas, graças a ele, somos mestres em fazer acontecer, esticar as coisas, obter o máximo que as oportunidades oferecem. Em manter as coisas andando com nada mais do que determinação em nossos corações e nosso controle do taco, prontos para a batida lenta que papai nos ensinou.

Gerald e seu irmão Jack foram excelentes atletas na escola; Gerald, melhor no beisebol, futebol americano e atletismo, enquanto Jack (cinco centímetros mais alto que seu irmão de 1,80 m) era superior no basquete e também um dos melhores lançadores de disco do estado.

Durante os quatro anos em que Gerald esteve fora na Marinha, Jack frequentou o colégio. Depois da baixa de Gerald, o casamento com Donna e a compra do Manor House Motel, seu irmão cortejou uma jovem mulher do Colorado que havia conhecido na faculdade e, depois de se casarem, eles se mudaram para o Texas. Jack e sua esposa foram professores por um tempo, tiveram filhos, prosperaram no ramo imobiliário e se tornaram testemunhas de Jeová. Natalie, sua mãe católica devota, ficou destruída com a notícia e disse a Gerald: "Seu irmão Jack está perdido".

Nem ela nem o resto de sua família e parentes tiveram muito contato com Jack depois de sua conversão, mas isso não preocupava Gerald de forma alguma. Ele estava absorto em seus próprios interesses e em sua vida privada no sótão. Quando não estava visitando seus pais no fim de semana com Donna e seus dois filhos pequenos na comunidade agrícola, dedicava-se a escrever sobre eles e sua infância na família — fazia isso enquanto se reclinava no tapete do sótão com um caderno, lápis e uma lanterna. Isso se tornou rotina: se ficava entediado com o que estava vendo pelos respiradouros — se passava horas assistindo a pessoas assistir à televisão —, mudava sua atenção do voyeurismo para sua história pessoal, onde recordava suas aventuras de infância na zona rural de Ault e suas mágoas durante um período de tempo que nunca parecia superar.

A cidade era um verdadeiro paraíso rural, rodeada por 2 mil fazendas perfeitamente autossuficientes que sobreviveram à Depressão e a duas guerras mundiais, e a comunidade foi energizada por criadores de gado e agricultores que mantiveram a Main Street viva. Aqui todo mundo conhecia todo mundo, e a história de todos era conhecida. Havia igrejas de todas as confissões protestantes e uma paróquia católica. Realizavam-se desfiles no Dia dos Veteranos, no Memorial Day, no Quatro de Julho, e uma semana de meados de janeiro era dedicada ao Festival dos Alimentadores de Cordeiros. A população alinhava-se na rua principal para assistir aos desfiles, carros alegóricos e reis e rainhas da festa.

A realeza de todos os dias da cidade eram seus médicos e dentistas, seus professores do colégio e o treinador de futebol americano que levara a equipe a conquistar o campeonato estadual quatro vezes em uma década. Os médicos da cidade eram especialmente respeitados e reverenciados e ainda faziam visitas domiciliares. O corredor longo e escuro do consultório de nosso médico na Main Street conduzia abruptamente ao andar de cima, e a proteção de borracha preta nos degraus absorvia todo o som. O médico era alto, careca e sardônico, e era capaz de tirar uns trocos de trás do pescoço e das orelhas de seus jovens pacientes, abrindo a mão para revelar o brilho de uma moeda.

Depois da consulta, percorríamos de carro os oito quilômetros de volta para a fazenda, passando pelo espaço para feiras, pelo campo, pela cúpula dourada do tribunal. A colina atrás do tribunal era cheia de árvores de grande porte, cujos ramos frondosos e densos encontravam-se por sobre a rua, e os galhos pareciam levantar quando os carros passavam. Os campos abertos ao redor de nossa casa da fazenda enchiam-se de cabelo de milho no verão, e talos grossos de feno recém-cortado purificavam o ar do campo com o cheiro mais agradável de todos os tempos. Vacas pastavam no prado elevado do outro lado da estrada e olhavam para nós placidamente. Às vezes, assustavam-se e saíam correndo como meninas desajeitadas, revirando os olhos e andando aos saltos até sumir da vista.

Os números de telefone de nossa cidade passaram de três para cinco dígitos. O nosso era 133J2. O da tia Katheryn era 227R2. O carro da minha mãe era um sedã Mercury 1946 branco e preto, achatado como um barco. Quando chegávamos em casa, meu pai estava na cozinha fritando batatas castanho-avermelhadas de nossa horta, "começando a ceia", única tarefa doméstica que alguma vez executou. Eu sabia que tinha aprendido a descascar batatas no Exército, cortando as cascas num único movimento contínuo em espiral.

Meu pai, que tinha passado dos trinta quando entrou no Exército, conheceu minha mãe em um baile dos Alimentadores de Cordeiro em 1933. Tinha 26 anos. Ela estava com dezenove. Ele era bonito, fazendeiro e tinha um carro, um Ford 1930.

Eles se casaram em 1934, ano em que nasci. No inverno de 1940, quando a minha mãe tinha dois filhos, ela ficou doente e subnutrida, recolheu-se à cama e nosso médico veio vê-la. Estava então com quase 45 quilos. O médico sentou-se ao lado da cama, com sua maleta preta no chão. "Agora, Natalie", disse ele, enquanto acendia dois cigarros, "vamos fumar este último juntos."

Sua mãe resistiu aos cigarros, recuperou a saúde, e a vida de Gerald voltou ao normal. Quando não estava ajudando nas tarefas agrícolas ou frequentando a escola, vagava pela cidade sozinho, sentindo-se

invisível, fora do radar da supervisão de um adulto. A consequência de tanta liberdade sem vigilância foi que me tornei precocemente independente. Não quero dizer que meus pais não me amassem ou que fossem de algum modo negligentes, mas apenas que, na década de 1940, nesta parte do país, não havia muita consciência do perigo. Não era incomum que meninos e meninas adolescentes pegassem carona em estradas da região. Eu tinha permissão para ver filmes sozinho no Prince Theater, que era um daqueles palácios de sonho, ornamentados e elegantemente decorados, construídos na década de 1920. Na opulência escura do Prince, como em um sonho de imprevisível desdobramento, caí sob o feitiço do cinema como havia caído antes sob o feitiço dos livros. Podiam-se ver os seriados por dez centavos, mas era preciso voltar no sábado seguinte para descobrir o que tinha acontecido.

Mesmo nos fins de semana, as estradas ficavam relativamente sem motoristas, e num dia de 1947, quando eu tinha doze anos e brincava de fazer pedras ricochetearem enquanto andava no meio de uma rua, uma linda pedra lisa que joguei saltou mais alto e entrou direto pela janela fechada da casa do sr. Thomas.

Meu coração gelou e tudo dentro de mim gritou: "Corra!". Mas não corri. Fiquei ali, sem saber o que fazer.

Então fui até a porta da frente do sr. Thomas e bati. Uma voz de homem gritou: "Espere!". Ouvi alguém descendo as escadas. Depois do que pareceu uma eternidade, a porta se abriu e lá estava o sr. Thomas.

O sr. Thomas era um homem idoso, baixo e magro que criava galinhas no quintal e tinha a reputação de não ser muito amistoso. Ele olhou para mim e perguntou: "O que você quer?".

Naquele momento, percebi que havia cometido um erro e que gostaria de ter fugido quando tivera a chance. Mas agora era tarde demais. Então, desembuchei: "Eu estava brincando de ricochetear pedras e por acidente uma pulou do outro lado da rua e atravessou sua janela, sr. Thomas". Quando terminei de contar tudo, quase desmaiei por não respirar. O sr. Thomas inclinou-se para fora da porta e olhou a janela.

"Você tem dinheiro para pagar por isso?"

Eu disse que não e perguntei quanto ele achava que iria custar.

"O vidro vai custar cerca de 1,50 dólar", disse ele, "e depois, é claro, eu terei de consertar a janela. Como você se chama, menino?"

"Gerald Foos."

"Bem, pergunte a sua mãe se você pode carregar água para minhas galinhas depois da escola. Se ela disser que sim, pagarei um dólar por semana e você vem aqui todos os dias depois da escola e no sábado de manhã. Depois de pagar pela janela, vai ganhar algum dinheiro para você mesmo. Que lhe parece?"

"Parece bom, sr. Thomas. Estarei aqui, logo depois da escola."

Esse foi o início de uma das minhas melhores lembranças. Quando deixei o sr. Thomas, me senti bem. Tinha feito a coisa certa, e tudo acabou bem. O melhor de tudo foi que senti que tinha aprendido a arte de ser corajoso e honesto. Não era só falar com os amigos sobre ser corajoso, não, era a coisa real, como eu havia querido correr, mas não correra.

Quando contei à minha mãe que estava ganhando um dólar por semana, ela disse: "Assim que você pagar pela janela, pode começar a dar cinquenta centavos por semana para ajudar em casa e ficar com cinquenta para você mesmo, e nunca mais brinque com pedras na rua".

Assim, todos os dias depois da escola e nas manhãs de sábado, eu carregava água para as galinhas. Ele tinha cerca de duzentas. Havia oito bebedouros espalhados pelo galinheiro, e eu tinha de carregar dezoito baldes de água da casa, a cerca de sessenta metros de distância, para concluir o trabalho. A coisa toda me tomava cerca de uma hora e meia, e calculei que seis dias vezes noventa minutos a um dólar por semana davam cerca de onze centavos por hora, que era o que as pessoas ganhavam naquela época.

O sr. Thomas foi meu primeiro amigo adulto, e ele me contou que as galinhas eram aves muito burras. Ele disse: "Você pode entrar no mesmo galinheiro uma centena de vezes e essas aves não vão mexer uma pena, mas entre com um novo par de sapatos ou um chapéu diferente e elas entram em pânico e voam para todo lado".

Fiquei calado, mas não achava que as galinhas eram tão burras. Elas só não gostam de surpresas. Sentem-se seguras com as coisas que conhecem. Isso não é muito diferente de muita gente que conheço, mesmo que sejam peculiares e de aparência engraçada.

15.

Ao ler os diários de Gerald Foos, ficamos sabendo que seu primeiro amor no colégio foi o único amor duradouro de sua vida e percebemos que, já homem de meia-idade no sótão, ele sentia saudade do tempo em que as pessoas costumavam *vê-lo* e aplaudi-lo das arquibancadas depois que ele corria um *home run* ou marcava um *touchdown* — e, após o jogo, esperava no campo pela chegada de sua namorada, a líder das animadoras de torcida, que saltava no ar com as pernas abertas antes de pousar suavemente em seu colo, as pernas enroscadas ao seu redor e os braços que o enlaçavam de uma forma que ele jamais esqueceria.

Isso foi em 1953, seu último ano de colégio, e o jornal local publicava periodicamente sua foto e descrevia seus feitos: "Foos fez uma bela corrida, escapando de um par de potenciais defensores na linha de escaramuça e seguindo em frente depois de ser atingido novamente na linha das dez jardas". Ele marcou vários *touchdowns* naquele ano, e logo depois Barbara White estaria voando para seus braços.

Vinte anos mais tarde, depois que ambos se casaram com

outras pessoas e ela se mudara com o marido para o Arizona, Gerald, num impulso, saía às vezes do motel e dirigia sozinho por 120 quilômetros até sua cidade natal. Dizia à esposa que ia visitar sua mãe, mas na verdade ia ver a casa em que Barbara White costumava morar e de onde, nos finais de tarde do inverno, ela sorria para ele e, com o dedo estendido, escrevia seu nome no vidro embaçado da janela de seu quarto.

Ela era a garota mais bonita que eu já vi, e também a mais simpática, porque todo mundo gostava dela. Meu primeiro encontro com ela foi arranjado por uma de suas amigas, e não fiquei nervoso porque sempre quis namorar Barbara. Seu sorriso me recebeu alegremente, e o filme foi bom, embora eu não consiga me lembrar do que vimos. O que lembro é que durante o filme pus meu braço em torno dela timidamente e que nos beijamos no carro ao voltar para casa.

Daquele primeiro momento em diante, namoramos firme nos dois anos seguintes. Nunca fizemos nada, exceto nos abraçar e beijar — que, naquela época, no início dos anos 1950, era uma das melhores coisas que aconteciam. Alguns dos jovens que hoje em dia apenas têm relações sexuais não sabem o que é esse sentimento, a sensação de ter alguém que você realmente ama e quer, e a única coisa que você faz é beijá-la. Eu nunca tive qualquer intenção de ter relações sexuais com Barbara. A única coisa que fiz, e que nos separou, foi quando eu uma vez quis ver seus pés.

Estávamos estacionados atrás da bomba que leva água para a cidade de Ault. Naquela época, muitas das garotas do colégio usavam sapatos com as cores do time de futebol americano, preto e vermelho, e nessa noite os sapatos de Barbara eram vermelhos e estavam iluminados pela luz que vinha da casa da bomba. Enquanto olhava para seus sapatos, acho que senti um arrebatamento e lembrei dos dedos dos pés de minha tia Katheryn, e, quase sem pensar, simplesmente me abaixei — zás! — e tirei seu sapato!

Ela disse: "Gerald, para que você fez isso?".

"Oh, eu só queria vê-lo, e queria fazer isso."

"Não faça isso de novo", disse ela.

Então eu coloco o sapato no chão da camionete e voltamos a nos beijar e acariciar. Era cerca de meia-noite, ou mais. E então eu vi seu pé de meia e pensei que queria ver o pé inteiro — e simplesmente me abaixei e — zás — tirei a meia tão rápido quanto consegui.

Oh, ela ficou desnorteada! Ela ficou com raiva e transtornada, e se sentiu violada. E eu havia, é claro, violado sua confiança, porque nunca tocara qualquer outra parte do seu corpo, exceto as costas, e um ombro, ou os braços. Nunca toquei em suas pernas, qualquer lugar assim, porque essa era uma área tabu, simplesmente não se fazia isso, pelo menos do meu ponto de vista, da maneira como me sentia naquela época. E assim, consequentemente, Barbara imediatamente pulou para fora da camionete, ficou ali e, enquanto se virava, tirou a corrente do pescoço onde estava meu anel e jogou no assento do carro.

"Não gosto disso, Gerald", disse ela, e depois se afastou, mancando de um pé.

Então dei ré na camionete, encostei perto dela e gritei: "Ei, Barb, entre aqui. Deixe de ser tonta", ou algo parecido. "Essas pessoas aqui fora vão nos ver e achar que estamos brigando."

"Você não acha que estamos brigando?"

"Ah, Barb, por favor, entre na camionete. Eu sinto muito, sinto muito, o.k.? Você é minha garota... Entre no carro e vamos conversar sobre isso."

Ela simplesmente continuou andando. Sua casa ficava a apenas uma quadra. E assim ela mancou até lá.

Mesmo muitos anos mais tarde, anos depois de eu a ter visto pela última vez, se alguém mencionava seu nome, eu desmoronava. E sempre que passava de carro pela casa onde ela morava — ainda que o rádio do carro estivesse desligado —, eu ouvia a voz de Ray Charles cantando:

"I can't stop loving you
I've made up my mind
To live in memory
Of the lonesome times..."

16.

Os anos de Gerald Foos na Marinha resultaram em poucos insights ou observações em suas anotações porque, como me explicou mais tarde, suas experiências mais interessantes durante esse período foram "*top secret*". Depois da formação básica e um passeio pelo Havaí — uma fotografia de Foos na praia de Waikiki mostra um jovem espetacularmente musculoso posando de calção e peito nu —, ele foi selecionado para servir com equipes de demolição subaquática, precursoras das forças de operações especiais da Marinha (SEALS). Embora a Guerra da Coreia tivesse terminado em 1953, ele e seus colegas tripulantes continuaram vigilando dia e noite nos quatro anos seguintes, quando estavam vinculados ao cruzador *USS Worcester*.

No início da guerra, o navio estivera no mar Amarelo para ajudar em ataques anfíbios às forças norte-coreanas; mas, quando Foos chegou, o cruzador havia sido transferido para as operações da Otan no Mediterrâneo. Em algumas ocasiões, foi desviado para o oceano Atlântico, com escalas em cidades como Bar Harbor, Boston, Nova York e Norfolk, antes de ir para Guantánamo e Panamá. Embora suas anotações sejam breves a respeito disso, ele reconhece ter perdido a virgindade graças à hospitalidade de um determinado bordel, à sombra de palmeiras em algum local não revelado.

No mar, sempre guardava imagens eróticas da tia Katheryn e lembranças duradouras de ter perdido Barbara White. Suas paixões voyeurísticas abrandaram durante os anos de serviço militar, reduzidas pelo temor de ser descoberto e a desgraça que supunha que adviria se fosse expulso da Marinha. Fez muito poucos amigos na Marinha e correspondeu-se principalmente com a família. Seu pai, Jake, cuidou das coleções de figurinhas e da memorabilia de esportes na ausência de Gerald e chegou mesmo a aumentá-la com a aquisição de itens valiosos como uma bola de beisebol assinada pelo famoso jogador Honus Wagner, que jogou nos Pittsburgh Pirates no início do século XX. Gerald escreveu: "Meu pai e eu tínhamos muito pouco em comum, exceto nosso amor pelo esporte".

Jake Foos tinha sido um jogador de beisebol semiprofissional tão bom no início dos anos 1930 que um olheiro da primeira divisão manifestara interesse em contratá-lo. Gerald soube disso por sua mãe, Natalie, que costumava assistir a Jake jogar de *shortstop* (a posição de Honus Wagner) no time de sua cidade natal, o Windsor Merchants, cuja sede ficava num distrito de cultivo de trigo do norte do Colorado, não muito longe de Ault.

Os Windsor Merchants eram excelentes, disse Natalie, talentosos o suficiente para ter derrotado uma vez o grupo de Leroy "Satchel" Paige, profissionais afro-americanos do beisebol que passaram por Windsor no verão de 1934. Dias antes, Satchel Paige tinha sido o melhor arremessador em um torneio anual realizado em Denver, sob patrocínio do *Denver Post*, que contara com equipes semiprofissionais e profissionais independentes de todo o país e incluíra pela primeira vez jogadores negros — treze anos antes de Jackie Robinson ser admitido na primeira divisão jogando pelos Brooklyn Dodgers, em 1947. (Um ano depois, Satchel Paige chegou à liga principal com os Cleveland Indians, aos 42 anos de idade.)

Mas Jake Foos (que, de acordo com Natalie, rebateu e chegou duas vezes à primeira base contra Paige no amistoso em Windsor) nunca aspirara a jogar na primeira divisão. Em 1934, tinha acabado de se casar e estava prestes a ter seu primeiro filho; e, como Gerald descreveu em seu texto:

> *Na fazenda, papai parecia feliz apenas levantando-se cedo pela manhã para estar ao ar livre.* [...] *No início da primavera, plantávamos aveia, trigo, milho, beterraba e feijão e ordenhávamos as vacas.* [...] *Em casa, no entanto, as coisas nem sempre foram pacíficas. Meu pai era um homem maravilhoso e um provedor — até que começava a beber. Eu sabia que, no momento em que os cubos de gelo caíssem no copo, ele se tornaria uma pessoa diferente, um bêbado raivoso. Era confuso para mim porque, sóbrio, ele era muito amável. Eu não entendia que papai era alcoólatra, quase todos os pais o eram em nossa região do país, e um bom exemplo disso era o marido de tia Katheryn, meu tio Charley.*

Durante uma das folgas de Gerald Foos na Marinha, o *USS Worcester* ficou ancorado no porto de Nova York por alguns dias antes de partir para o Panamá. Depois de comprar ingresso para um jogo no Yankee Stadium, Foos sentou-se na primeira fila da arquibancada e viu de perto as costas de Mickey Mantle quando ele estava parado no centro do campo. Embora Mantle tenha feito um *home run* naquele dia, Gerald ficou mais impressionado com a velocidade e agilidade de Mantle quando cobria o *outfield* [jardim externo].

Observei Mickey Mantle partir atrás de uma longa bola voadora na vasta planície do centerfield *[jardim central], e achei que ele não ia conseguir apanhá-la. Achei que não estava correndo rápido o suficiente. Ele parecia estar só deslizando debaixo de um pontinho branco em alta velocidade, que havia detectado antes de eu ouvir a batida do taco e antes que soubesse por que Mantle estava se movendo. E justamente quando eu estava prestes a enlouquecer, preocupado porque Mantle não iria apanhá-la, ele deixou a bola afundar em sua luva como se soubesse o tempo todo que a luva era o único lugar para onde a bola queria ir.*

Muito tempo depois, Foos colecionaria vários objetos relacionados a Mantle: figurinhas antigas de beisebol, bolas assinadas, um taco Louisville Slugger assinado.

Anos depois de dar baixa, e muitos meses após a construção da plataforma de observação em seu sótão, Gerald Foos sentia às vezes que ainda estava na Marinha, à deriva em águas calmas, espiando através das lâminas da persiana em seu hotel, do mesmo modo como costumava olhar disfarçadamente através dos binóculos quando estava em serviço no convés, dirigindo o olhar para grandes distâncias, sem detectar qualquer coisa interessante. Sua vida no sótão era monótona e rotineira. O motel era um barco ancorado no seco cujos clientes assistiam à televisão, conversavam banalidades, tinham relações sexuais — se e quando as tinham — principalmente sob as cobertas e davam-lhe tão pouco motivo para escrever que às vezes ele não escrevia nada.

A vida comum é chata, concluiu ele, não pela primeira vez; não admira que o mercado para a fantasia seja grande: peças de teatro, filmes, obras de ficção e também a violência legalizada inerente a esportes como boxe, hóquei e futebol americano. Gerald escreve: "Por falar em futebol ou hóquei, se os jogadores estivessem armados com facas e armas de fogo, não haveria estádios grandes o suficiente para receber as multidões".

Gerald testemunhava com frequência exemplos de desonestidade de seus hóspedes, admissão de duplicidade em seus negócios e disponibilidade de abrir mão de seus princípios se isso fosse financeiramente rentável. Às vezes tentavam enganá-lo no pagamento do quarto e dificilmente se passava uma semana sem que ele testemunhasse casos de trapaça sempre que um hóspede do sexo masculino, ansioso por sexo, entrava no motel com uma mulher que não conhecia bem. Como descreve o *Diário do Voyeur*:

> *Recebi neste "almoço executivo" um homem branco e uma mulher branca no quarto 9. Ele era um tipo de colarinho branco de quarenta e poucos anos, 1,78 m, 80 kg, aparência comum; ela, com uns 25 anos, 1,60 m, atraente.*
>
> *Depois que entraram no quarto, o homem começou imediatamente a negociar um contrato de prazer sexual. Ele oferecera a ela 25 dólares por sexo oral e coito, mas ela disse: "Me dê 45 dólares e lhe darei o melhor boquete que você já recebeu. Sou uma especialista".*
>
> *Ele finalmente concordou e deu-lhe o dinheiro.*
>
> *"Tire suas roupas e fique confortável", disse ela. Depois que ele se despiu, ela disse: "Preciso de uma Coca-Cola para limpar minha garganta quando estou chupando. Você tem moedas para a máquina?".*
>
> *"Vou pegar a Coca-Cola para você", disse ele, mas ela disse: "Ah, não, você já está sem roupa. Vou buscá-la e já volto".*
>
> *Ela pegou as moedas dele e saiu do quarto. Ele então começou a brincar com seu pênis, na tentativa de obter uma ereção.*

Passaram-se cerca de dez minutos e ele ainda estava esperando e se masturbando.

Por fim, levantou-se, olhou pela janela e disse: "Filha da puta. Aquela vadia foi embora".

Vestiu as roupas rapidamente e saiu do quarto do motel. Desci imediatamente da plataforma de observação para ver o que estava acontecendo. Mas o perdi de vista e então voltei para a recepção.

Cerca de quinze minutos depois, vejo-o voltando para o quarto 9. Retornei à plataforma de observação e o vi tirando as roupas de novo, muito contrariado. Segurava agora uma revista pornográfica, reclinado na cama, e então começou a se masturbar e, por fim, ejaculou na foto da página central, em cima de uma modelo nua. Em seguida, arrancou a foto da revista e jogou-a no vaso sanitário.

Conclusão: Infelizmente para ele, a mulher com quem estava não era uma prostituta, apenas uma vigarista. Prostitutas raramente fazem essas trapaças, se é que alguma vez se valem delas. Vi muitas prostitutas negociarem com seus clientes e quase sempre são honestas, fazem o que foi combinado. Ele deveria ter identificado a intenção dessa mulher depois que ela tomou suas 45 pratas e, em seguida, deixou-o sozinho no quarto com a desculpa de que ia buscar uma Coca-Cola.

17.

Escrito ao longo de tantos anos, o diário de Gerald não só joga luz sobre a mudança dos padrões sociais, tal como vistos pelas aberturas de observação, como também reflete as mudanças demográficas. De 1960 a 1980, a população do Colorado cresceu 65%, mais de um milhão de novos residentes, alguns dos quais passaram pelo Manor House Motel. Nem sempre foram benquistos.

Casal branco de classe operária em seus trinta anos, com um trailer da U-Haul a reboque de seu sedã velho, chegou de Chicago e alugou um quarto por uma semana. Ele era um homem de mais de 1,80 m e quase 90 kg, e ela devia ter pouco mais de 1,70 m, esbelta e de aparência média. Ambos falavam muito e ele, em particular, manifestou o desejo de arranjar trabalho na região e se instalar por aqui.

Observei-os de tempos em tempos durante a semana e eles estavam tendo grande dificuldade para encontrar trabalho e moradia. A vida sexual deles era inexistente e, quando ele se aproximava, ela resistia a ele e também dizia alguma coisa crítica. Dizia que ele não estava se esforçando o suficiente para conseguir um emprego.

De vez em quando, ele discutia seus problemas comigo no escritório. Mas apresentava uma atitude diferente do desespero que eu entreouvia do respiradouro. Dizia-me que as coisas estavam melhorando. No final da semana, quando teriam de pagar pelo quarto, me pediu uma prorrogação de três dias, dizendo que estava esperando um cheque de Chicago. Simpatizei com sua situação e concedi o novo prazo.

No dia seguinte, durante a observação, ouvi o sujeito dizer à esposa: "O imbecil da recepção pensa que vou receber um cheque de Chicago, e vamos enganá-lo do mesmo jeito que fizemos no motel em Omaha".

Ela estava chateada com ele e disse que deveria conseguir um emprego e parar de tirar vantagem da generosidade das pessoas.

Então o canalha era um mentiroso, e decidi proteger meus interesses e pôr uma tranca na maçaneta da porta do quarto deles. Esse dispositivo impede que um hóspede use sua chave para abrir a porta. Quando o casal retornou ao quarto, o sujeito veio correndo à recepção e falou: "Você disse que poderíamos ficar até que eu recebesse o meu cheque". Respondi: "Decidi que vocês devem dar um jeito e pagar pelo quarto agora". Ele disse: "Você sabe que o cheque está chegando". "Não há nenhuma garantia", retruquei, e disse que reteria seus pertences até que pagasse tudo o que devia pelo quarto.

Ele saiu furioso. Esperei durante meia hora, troquei as fechaduras de seu quarto e levei seus pertences para nosso depósito.

Conclusão: Milhares de pessoas descontentes e infelizes estão mudando para o Colorado, a fim de realizar esse anseio profundo de sua alma, na esperança de melhorar de vida, e chegam aqui sem nenhum dinheiro e encontram apenas o desespero. [...] A sociedade nos ensinou a mentir, roubar e trapacear, e enganar é o pré-requisito fundamental na constituição do homem. [...] No momento em que minha observação das pessoas se aproxima do quinto ano, estou começando a ficar pessimista quanto à direção que nossa sociedade está tomando e percebo que estou cada vez mais deprimido à medida que descubro a futilidade de tudo isso.

Na verdade, criei recentemente um teste de honestidade, colocando alguns de nossos hóspedes numa situação tentadora. O primeiro hóspede que testei foi um tenente-coronel do Exército americano, de mais ou menos 55 anos, que acabava de ser designado para um cargo administrativo no Hospital Fitzsimons do Exército e que por um tempo ficou no quarto 10 de nosso motel.

Foos explicou o teste em poucas palavras:

Começo colocando uma mala pequena no armário do quarto 10. A mala fica fechada com um pequeno cadeado barato que pode ser facilmente quebrado, ou forçado, por quase qualquer um. Os hóspedes sempre esquecem malas pequenas, e eu as utilizo em meu experimento.

Sempre que chega um hóspede cuja honestidade quero testar, reservo-lhe o quarto 10. Então, enquanto preenchem a ficha do registro, peço que minha esposa Donna me telefone de nossos aposentos, fingindo ser um hóspede que esqueceu a mala no quarto, com mil dólares dentro.

"A mala que você esqueceu tem mil dólares?", repito em voz alta no telefone, imaginando que o hóspede recém-chegado está escutando na recepção. Então largo o telefone na mesa e falo

para minha esposa no apartamento: "Donna, a empregada encontrou uma mala pequena que alguém esqueceu com dinheiro dentro?".

E Donna grita de volta: "Não, não entregou. Não encontrou nada".

Pego então o telefone e digo a Donna na linha: "Sinto muito, senhor, ninguém encontrou nada, mas, caso encontre, já temos seu endereço e a enviaremos para o senhor imediatamente".

Neste dia em particular, encenei essa conversa fictícia enquanto o coronel do Exército fazia o check-in. Depois que preencheu o registro, entreguei-lhe a chave do quarto 10 e, em seguida, subi até a plataforma de observação para ver o que ele faria.

A primeira coisa que ele faz depois de entrar no quarto é pôr sua bagagem em cima da cama e ir ao banheiro. Quando sai, liga a TV e olha rapidamente o quarto. Lê a tabela de preços do quarto na porta. Abre e fecha as gavetas da escrivaninha. Tira sua jaqueta militar e a pendura no armário. É quando vê, deitada na prateleira do armário, a pequena mala. Tira-a do armário e a deposita na cama. Toca sua pequena fechadura, mas não tenta abri-la. Como todos os outros hóspedes nessa situação, ele pondera por um momento sobre a situação.

Este é o momento que adoro testemunhar. O momento da verdade ou desonestidade atravessa rapidamente a cabeça da pessoa. Há a questão: devo quebrar a fechadura e pegar os mil dólares? Ou devo ser um bom samaritano e entregá-la na recepção? Quase se pode ouvir cada pessoa pensando consigo mesma: ninguém sabe que esta mala está neste quarto, e tem mil dólares dentro dela, e eu posso usar muito bem esse dinheiro.

Este coronel do Exército em particular demorou dez minutos para tomar uma decisão. Por fim, o mal acabou por triunfar. Ele tentou torcer o cadeado com os dedos, mas não conse-

guiu. Saiu do quarto, fechando cuidadosamente a porta, e voltou com uma chave de fenda de seu carro. Quando voltou, hesitou em usá-la. Saiu do quarto de novo e apareceu na recepção, onde Donna o viu e o cumprimentou. Ficou ali por alguns instantes, como se estivesse pensando na hipótese de que já soubessem que ele tinha encontrado a mala.

Então voltou para o quarto 10. Trancou a porta, sentou-se na cama e, com um único movimento com a chave de fenda, arrombou a mala. Começou a remexer na roupa que havia lá dentro, procurando em cada fresta e cada bolso. De repente, deu-se conta de que não havia dinheiro na mala, apenas roupas. Balançou a cabeça, indicando confusão e preocupação. E agora? Estava provavelmente pensando: não posso levar esta mala para a recepção com a fechadura quebrada, e tampouco posso deixá-la no quarto.

Depois de andar ao redor do quarto por mais alguns minutos, o coronel pegou sua capa de chuva, embrulhou nela a mala e saiu do quarto 10. Ouvi quando deu a partida em seu carro e, em seguida, pareceu ter se afastado para encontrar um lugar onde poderia jogá-la fora.

O Voyeur na torre de observação pegou seu caderno de notas e registrou outro exemplo da ganância de um hóspede do motel.

Conclusão: Após submeter quinze hóspedes registrados a esse teste — entre eles um clérigo, um advogado, alguns homens de negócios, um casal de trabalhadores, um casal em férias, uma mulher casada de classe média e um homem que estava desempregado —, somente dois de toda a lista devolveram a mala fechada à recepção. Um deles era médico. A outra foi a mulher casada de classe média. O clérigo e os outros todos abriram a mala e depois tentaram se livrar dela de diferentes maneiras. O clérigo empurrou a mala pela janela do banheiro e jogou-a na cerca viva. O médico, na verdade, fez uma tentativa de abri-la, mas depois mudou de ideia. E, assim, das quinze pessoas testadas, apenas a mulher não foi tentada por ganância.

O Voyeur encerra a apresentação de provas.

18.

Na categoria de "pessoas honestas, mas infelizes" do Voyeur, uma grande maioria de seus objetos de estudo era composta por casais de fora da cidade que em sua breve estadia no Manor House Motel encheram tanto os ouvidos de Foos de queixas ou indicações de estresse conjugal de longo prazo que ele acabava sendo constantemente lembrado de como era sortudo por ter Donna como esposa.

"Não fosse sua compreensão e atitude sem preconceitos, meu laboratório de observação jamais teria se tornado uma realidade", escreveu Gerald. "Minha esposa se esforçou muito para compreender as motivações que estavam por trás" de seu voyeurismo. Ela "não me criticou ou condenou por essa perversão. Desse modo, ajudou a reencontrar uma explicação para minha convicção de que o voyeurismo é um estado natural de ser e que esse desejo está presente em todos os homens".

Ele tinha, na forma de uma loira bonita e alegre, uma esposa devotada e fiel, uma enfermeira em casa, uma coconspiradora em relação a suas propensões bisbilhoteiras, uma presença lasciva no sótão quando ela estava de folga do hospital, uma administradora de confiança das finanças da família, uma mãe amorosa de seus dois filhos e, também digno de menção, uma secretária e escriba particular sempre que ele estava cansado ou entediado demais para pôr no papel algumas das cenas e situações tediosas que testemunhava através das lâminas de metal.

Quando não queria sentar e escrever, ditava suas observações para Donna, que sabia taquigrafia (aprendera na escola), e logo ela lhe fornecia uma transcrição que mais tarde ele copiaria com sua própria letra e incluiria no *Diário do Voyeur*.

Donna também o ajudou a compilar os fatos e percentuais que ele incluía em seu relatório anual, trazendo para essa tarefa a mesma qualidade quanto à precisão que ela apresentava quando anotava dados médicos no hospital.

Uma vez que Gerald Foos se deixava levar frequentemente por fantasias de status científico importante, imaginando Donna e ele mesmo como colegas de jaleco branco do renomado casal que dirigia o Instituto Masters & Johnson, em St. Louis, seu relatório era muitas vezes escrito no tom profissional de um terapeuta sexual ou conselheiro matrimonial, particularmente nas frases finais que compunham sua "conclusão". Uma "conclusão" típica pode ser lida no final do que escreveu sobre um casal mais velho e sem vínculo romântico de Joplin, Missouri, que escolheu o quarto 7, com duas camas de casal.

> *Já que eu não tinha nada melhor para fazer, decidi observar esse casal pouco atraente. No momento do check-in, reparei que o marido não demonstrava qualquer emoção. Era um gerente de fábrica de automóveis de quarenta e tantos anos, 1,72 m, bem cuidado, usava óculos. Sua esposa tinha a mesma idade, esbelta em seus menos de 50 kg, e tinha uma boca pequena. Quando entraram no quarto, notei que o marido tinha a mes-*

ma expressão sombria que mostrara na recepção. Ela foi primeiro ao banheiro, depois saiu e disse: "Vamos jantar".

Voltaram às nove e meia e discutiram um filme que haviam visto, e ela começou a se despir: tirou o sutiã puxando a parte de trás para a frente, vestiu a camisola e só depois puxou o sutiã para fora. Eles se retiraram para camas separadas para assistir à televisão. Muito mais tarde, ele se mudou para a cama dela e tentou acariciá-la e boliná-la; mas, quando a esposa ficou amorosa, parece que isso acabou com qualquer perspectiva de ele ter uma ereção.

A esposa disse: "Há três semanas que você não consegue fazer qualquer coisa, então por que continua tentando neste maldito quarto de motel?".

Ele não respondeu.

Ela continuou: "Quando os homens beijam e amam suas esposas, eles supostamente ficam duros, e você não consegue mais. Acho que você está ficando velho e não precisa mais de sexo. E eu também não. Então, não se preocupe com isso".

Ela decidiu tomar um banho e fechou a porta do banheiro. O marido voltou para a cama sem qualquer expressão no rosto, mas começaram a cair lágrimas por suas bochechas. Ele limpou as lágrimas, puxou as cobertas, e o Voyeur viu quando ele pôs uma de suas mãos sobre a cabeça do pênis e a outra em seus testículos, e depois acariciou seu pênis com rapidez. Após dois ou três minutos de utilização dessa técnica, obteve uma grande ereção e, usando um grau adequado de pressão e velocidade de movimento, teve um orgasmo. A ejaculação não foi abundante em conteúdo de sêmen, de modo que parecia que ele se masturbava com frequência.

Durante a masturbação, continuou a observar atentamente a porta do banheiro, presumo que para assegurar-se de que sua esposa não saísse inesperadamente. Limpou o sêmen na parte de baixo da colcha e puxou as cobertas.

A esposa voltou do banho e deitou silenciosamente em sua cama. Ele manteve a postura e o silêncio de jogador de pôquer, depois desligou a TV, apagou a luz e logo o casal foi dormir.

Conclusão: Depois de observar muitas formas diferentes de impotência, o Voyeur está convencido de que esse é um dos assuntos menos discutidos e mais enrustidos na esfera sexual. Este homem não é impotente — talvez tenha apenas medo do desempenho e, se fosse sexualmente mais educada, sua esposa provavelmente poderia curar sua "impotência" fazendo-lhe sexo oral ou usando a mão em seu pênis.

É provável que ela tenha tido uma formação que considera estranho qualquer tipo de preliminar sexual. É provável que o casal venha a ficar para sempre entrincheirado nessa confusão e ignorância.

Numa data posterior, outro casal se registrou para ficar no quarto 7 em camas separadas, mas, ao contrário do triste marido de Joplin e sua esposa deprimente, esses hóspedes mais recentes logo deram vida ao Manor House Motel com sua aparência atraente, sua simpatia geral e uma exibição óbvia de afeto mútuo — que encantou o Voyeur enquanto ele os registrava (*para um período de seis semanas!*) e, portanto, ele esperava uma abundância de imagens lascivas de felicidade conjugal e a oportunidade de acrescentar algumas páginas tórridas ao seu diário muitas vezes morno demais.

O marido esbelto de cabelos escuros era oficial da Força Aérea e participava de uma sessão de treinamento de verão de seis semanas na base da Força Aérea de Lowry, em Denver, e sua esposa, professora primária no Mississippi, estava passando suas semanas de férias com ele, embora (como logo descobri) ficasse sozinha no quarto 7 a maior parte do dia.

Era uma morena de medidas proporcionais de quase trinta anos, muito animada e amistosa; um dia, notando em nossa recepção um cartaz que pedia uma criada, ofereceu-se para o emprego.

"Estou acostumada a trabalhar", explicou ela, "e estou entediada aqui por não ter nada para fazer."

Então contratei-a como temporária, e ela foi excelente. Era eficiente, alegre e nunca reclamava. Uma vez que frequentemente estava perto da recepção, tive muitas oportunidades de conversar com ela sobre sua criação e formação. Nasceu numa comunidade rural do Mississippi e seus pais plantavam tabaco. Com seu delicioso sotaque sulista, descreveu uma infância de muita pobreza, mas ela trabalhou enquanto estudava e formou-se professora. Conheceu o marido na faculdade, casaram-se cedo e ele imediatamente seguiu a carreira militar. Ela dizia ser feliz no casamento. Não tinha filhos.

Como eu os observava à noite, pude confirmar que pareciam felizes. Ele era sempre educado e atencioso, e ela era tão alegre com ele no quarto quanto no resto do motel fazendo suas tarefas. Mas o que me deixava totalmente confuso era a vida sexual inativa do casal. Durante as três primeiras semanas em que estiveram no quarto 7, nunca os vi fazer sexo. E, no entanto, eles não eram nada parecidos com os outros casais sexualmente distantes que eu via discutindo e discordando tanto um com o outro o tempo todo. Não, o casal do Mississippi parecia se gostar de verdade.

Uma vez, ouviu-se o marido mencionar que, como casal, não tinham relações sexuais há algum tempo, mas ela disse: "Sempre e tudo o que você quiser, querido, está o.k. para mim". Mas, depois disso, mais nada foi dito, e nada parecia acontecer.

Exceto num fim de tarde na quinta semana deles, depois de ela ter terminado suas tarefas de criada, o Voyeur notou que ela estava deitada nua no meio de uma das camas. Os abajures dos dois lados da cama estavam acesos, destacando cada curva de seu jovem corpo. Depois, como se estivesse em transe, ela se levantou da cama e abriu uma pequena mala no armário. Tateou lá dentro e saiu com um vibrador à pilha. Tinha cerca de quinze centímetros de comprimento e era cor da pele. Ela o pegou, trouxe para a cama, ligou e começou a aplicá-lo lentamente em sua caixa torácica, depois o desceu para sua barriga lisa e, finalmente, ele veio a descansar entre suas coxas. Quando a ponta do vibrador tocou os lábios de sua vagina, arrepios de prazer passaram por todo o seu corpo.

O Voyeur observava de cerca de dois metros acima, ouvindo-a respirar a um ritmo acelerado, e detectou o seu cheiro especial quando ela se aproximou do orgasmo, e o Voyeur também se perguntou se o marido estava ciente de que sua mulher usava um vibrador e também viajava com um deles. Se não, como ela conseguia escondê-lo tão bem sempre? E onde ela o havia obtido? O Voyeur gostaria de fazer-lhe essas perguntas, revelando mistérios sobre essa mulher doce e acolhedora e o homem que ela escolheu para se casar.

Mais tarde, ela se levantou da cama, guardou o vibrador de volta na mala e se dirigiu ao banheiro. Encheu a banheira de água, despejou uma quantidade generosa de óleo perfumado, esfregou e limpou seu corpo, e também lavou os cabelos. Depois de secar seu corpo e pulverizá-lo com um talco perfumado, ligou o secador de cabelo na tomada e secou os cabelos. Tomou cuidado especial para fazer com que as ondas encaracoladas caíssem satisfatoriamente no lugar. Enquanto passava o batom, fez uma pausa para estudar seu corpo nu refletido no espelho da penteadeira.

Escolheu então no guarda-roupa uma saia azul-escura e uma blusa branca. Depois que terminou de se vestir, enfiou um pouco de dinheiro no bolso e saiu do quarto.

O Voyeur deixou a plataforma de observação e voltou para a recepção. Ela estava lá em busca de troco para a máquina de refrigerantes. Ela e o Voyeur trocaram gentilezas e tiveram uma breve conversa. O Voyeur notou que ela era mais bonita ao nível dos olhos do que pela abertura de observação.

"Vou ao centro da cidade fazer algumas compras", disse ela. "Se você vir meu marido, diga a ele que estarei de volta lá pelas seis horas."

Conclusão: Infelizmente para este casal, eles parecem ter diferentes graus de intensidade sexual. Ele tem, provavelmente, grau dois, e ela, um sete. Devido a essa diferença, e apesar do comportamento cortês de um para com o outro, dificuldades reais pairam sobre o futuro deste casamento.

19.

Gerald Foos orgulhava-se muito de nunca ter sido apanhado, de seu segredo nunca ter sido descoberto. Mas houve pelo menos uma ocasião em que esteve perigosamente perto de ser desmascarado.

Um dia, no sótão, quando observava um casal que estava no motel pagando por semana, Foos viu o marido olhar para o teto e perguntar para a esposa: "Para que serve aquela abertura? Aquilo não é um respiro de aquecimento. [...] Trabalho na construção civil e reconheceria isso".

"O que é, então?", perguntou ela.

"Poderia ser um buraco para espiar."

A mulher deu uma risadinha. "Você quer dizer que alguém poderia estar assistindo a tudo o que fazemos?"

Ele disse: "Há muita gente estranha neste mundo". E acrescentou: "Vou descobrir".

Gerald registra que "se sentiu um pouco apreensivo com o que estava acontecendo no quarto". Recuou cautelosamente pelo chão do sótão, saiu, trancou a porta e voltou para a recepção.

Lá, ponderou a gravidade do que escutara. Desde o início, seu plano, se fosse descoberto, era chamar a plataforma de observação de "'passarela de serviço', isto é, para consertar a fiação elétrica, a tubulação do aquecimento, ter acesso a instalações sanitárias etc. [...] As aberturas eram usadas para dispersar fumaça e mau cheiro dos quartos. Isso é o que seria dito ao hóspede se ele suspeitasse de alguma coisa fora do comum, e então o ônus da prova recairia diretamente sobre ele".

"No dia seguinte, eu não sabia o que esperar", escreveu Gerald, "mas achei que o hóspede talvez pudesse chamar a polícia para investigar, ou que iria me confrontar pessoalmente. Não fez nenhuma das duas coisas."

Gerald "ficou completamente longe da torre de observação durante vários dias e tentou descobrir em que o hóspede estava pensando".

"Depois de cerca de quatro dias, arrisquei-me até a plataforma de observação e notei que o sujeito havia fechado a abertura com papel. No entanto, havia uma pequena fresta em um dos lados que permitia uma observação parcial. Nessa noite em particular, praticavam sexo oral, que mais tarde evoluiu para o coito."

Dois dias depois, a mulher foi à recepção e disse a Gerald que seu marido tinha voltado para seu estado de origem e que ela também iria em breve. "Neste momento", escreveu Gerald, "ela revelou alguns fatos surpreendentes para mim: a saber, que [seu marido] tinha subido no sótão através da abertura e dado uma volta. Era um homem muito pequeno e mal conseguiu passar pela abertura. Nunca pensei que alguém conseguisse passar através das aberturas, exceto uma criança pequena. Expliquei-lhe que era estritamente uma plataforma de serviços e ela aceitou isso sem questionar."

20.

Apesar de sua posição privilegiada como observador secreto de momentos íntimos, o conhecimento pleno do comportamento humano continuava a ser uma incógnita para o Voyeur. Um "casal incrivelmente atraente de Oakland", que pediu um quarto mobiliado com duas camas separadas, aumentou seu espanto.

Ele era um belo homem de 1,90 m e proporções atléticas, de quase trinta anos, e ela, uma morena de mais de 1,70 m de vinte e poucos. Haviam morado em Boulder, Colorado, nos últimos seis meses e agora precisavam de um quarto com uma cozinha por algumas semanas até que seu novo apartamento em Aurora ficasse pronto.

Em conversas fiquei sabendo que ela era uma ex-miss Califórnia e vice-campeã do concurso de Miss Estados Unidos, e que, aparentemente, os dois se casaram logo depois disso. O marido tornou-se seu agente após o concurso e continua a administrar sua carreira de modelo. Estão interessados em Auro-

ra por causa de uma pequena empresa cinematográfica localizada aqui e alguns conhecidos ligados a ela.

Mas esse belo casal tem um dos relacionamentos mais estranhos que já vi. Depois de observá-los por mais de duas semanas, é incrível — eles não têm absolutamente nenhum contato sexual.

Dormem em camas separadas. Só discutem assuntos de carreira em suas conversas diárias e noturnas. Discordam a maior parte do tempo. Ele quer que ela invista mais na carreira de modelo, mas ela resiste às muitas oportunidades de aparecer e outros compromissos que ele arranjou para ela. Muitas vezes ele sai irado do quarto e não volta por horas.

Quando ele sai, ela permanece sozinha no quarto, assistindo à televisão, e às vezes anda nua, demonstrando grande interesse por seu corpo refletido no espelho, e às vezes senta-se e tem especial interesse em olhar para as pernas e os pés. Ela também se deita na cama, acariciando às vezes seu corpo em diferentes lugares, mas jamais a vi se masturbar. Às vezes detecto expressões de desagrado em seu rosto, e também, às vezes, seu corpo parece estremecer. É como se ela estivesse se desvencilhando de algo ou alguém que está perto o suficiente para tocá-la. Uma vez, notei que chorava, o que durou alguns minutos, e então ela parou e pareceu profundamente pacificada.

Conclusão: O Voyeur acha difícil acreditar que este homem com que ela está casada só esteja interessado em promover sua carreira de modelo, mas, levando-se em conta as observações, isso é certamente algo a ser considerado. Ele não tem absolutamente nenhum desejo sexual por este belo indivíduo do sexo feminino. Talvez seja homossexual. Mas existem outros casais que vi que não são sexuais. Não tão atraentes como este casal, mas jovem casais não sexuais existem em maior número do que pensa o público em geral.

Com efeito, minhas observações indicam que muitos desses casais não sexuais, que ainda não atingiram a meia-idade, parecem ser, em geral, pessoas satisfeitas. Fiz alguns cálculos a respeito da frequência sexual e o resultado está a seguir:

** 12% de todos os casais observáveis no motel são altamente sexuados;*
** 62% levam vidas sexuais moderadamente ativas;*
** 22% têm pouco impulso sexual;*
** 3% não têm nenhuma relação sexual.*

Uma vez que não há nenhuma outra maneira de medir isso corretamente, concluí que um casal é "altamente sexuado" se apenas um dos parceiros é agressivo. Mas, na maioria das vezes, nos 12% incluídos nessa categoria é provável que ambos os parceiros se qualifiquem como "altamente sexuados", e como exemplo disso cito um casal de Wichita, Kansas, que dividiu a única cama do quarto 6.

O marido é um homem branco de 1,80 m, trinta e poucos anos, e sua esposa é uma loira simpática de 1,72 m e pele clara. Coloquei-os no quarto 6 às cinco da tarde. Na recepção, ambos se mostraram muito faladores e extrovertidos. A primeira coisa que o marido me perguntou enquanto assinava a ficha foi:

"Onde fica o melhor restaurante por aqui para comer lagosta e filé?"

Mais tarde, depois que voltaram do restaurante, da passarela de observação eu a assisti ir ao banheiro, deixando a porta aberta.

Ele ficou na porta do banheiro perto dela, e, enquanto estava sentada no vaso sanitário, ela estendeu a mão e começou a acariciar seu pênis por fora da calça.

Ele sorriu e perguntou: "Você está com tesão de novo?".

"Estou sempre com tesão", disse ela e, quando ele se aproximou, abriu o zíper de sua calça, tirou para fora o pênis e começou a chupá-lo — ainda sentada no vaso sanitário. Era uma perita em felação. Fez o marido ter um orgasmo de pé em menos de cinco minutos.

"Sinto o gosto do alho que você comeu no jantar em seu sêmen", disse ela.

"Ora", disse ele, "você quase arrancou meu estômago para fora."

Mais tarde, na cama, enquanto assistia à TV, ela constantemente segurava ou acariciava o pênis dele, que permanecia flácido. Mas depois que ela o pôs na boca, ele teve outra ereção. Ela então o montou na posição superior feminina e controlou os movimentos até ter o que pareceu ser um superorgasmo. Ele não teve orgasmo nesse momento, mas depois mudou para uma posição superior masculina e teve um orgasmo, o segundo nas últimas duas horas.

Conclusão: Esta esposa possui definitivamente uma grande energia sexual. Ela não tem inibições e seu marido é aparentemente suficiente para ela. Provavelmente um bom casamento e uma situação feliz, se ele conseguir mantê-la satisfeita. Eles são um casal superinteressante. Quem dera tivessem ficado mais tempo.

21.

A decepção do Voyeur com alguns hóspedes, como o casal lindo, mas sexualmente incompatível, desapareceu diante do prazer que ele sentia ao testemunhar momentos de entrega absoluta. Um casal do Texas — disseram que estavam de férias e só de passagem — encantou o Voyeur: ela era uma mulher voraz que sabia o que queria e não deixava nenhuma dúvida; ele era um parceiro cúmplice na busca do prazer.

O marido era uma figura de 1,80 m vestido informalmente, de cerca de 88 kg, enquanto a mulher era uma ruiva deslumbrante de pouco mais de 1,60 m, com um corpo de medidas proporcionais e uma boca grande. O Voyeur esperava ansiosamente ter uma visão íntima do casal, mas também ficou decepcionado quando notou na recepção que os dois traziam maços de cigarros.

O Voyeur odeia fumantes porque a fumaça sobe e invade o respiradouro, tornando-se um enorme incômodo. Deveria haver leis rigorosas para proteger os não fumantes, de tal modo seus direitos são continuamente violados, mas infelizmente não existem medidas desse tipo no estado do Colorado, e, na privacidade de seus quartos de motel, os hóspedes fazem praticamente tudo o que querem.

Da plataforma de observação, o Voyeur viu quando o casal entrou no quarto. Depois que desfizeram as malas, arrumaram suas coisas e saíram para jantar, o Voyeur entrou no quarto rapidamente para verificar o tamanho do sutiã da mulher: era 44.

O Voyeur, para autenticar seu diário, entra de vez em quando num quarto para ratificar suas observações, a fim de que a precisão seja mantida. O Voyeur é muito meticuloso e reservado em sua atividade, e nenhum hóspede jamais descobriu que a sua esfera privada foi penetrada ou invadida. Como declarado muitas vezes no passado, o Voyeur orgulha-se de sua habilidade na realização dessa tarefa, de tal modo que nenhum hóspede observável ou não observável jamais foi prejudicado ou sofreu mentalmente em virtude das aberturas. Esse era um pré-requisito por parte do Voyeur, e, sem a garantia de não detecção, o laboratório de observação não teria sido criado e mantido.

Exceto pelos seios grandes do indivíduo do sexo feminino, ela parecia pequena e bonita. O Voyeur não podia acreditar que uma mulher pudesse parecer tão deliciosa e atleticamente em boa forma apesar de estar se aproximando da meia-idade. Ela tirou a saia e a calcinha. Havia uma quantidade abundante de pelos em sua região pubiana, que era vermelho-clara.

Ela relaxou na cama ao lado do indivíduo do sexo masculino e colocou os dedos sobre a carne dura e ereta de seu pênis. Ela começou a alisá-lo e acariciá-lo com cuidado, parecendo não querer ferir sua virilidade. Sua boca abriu-se bem devagar, e então ela começou a felação, com a língua fazendo círculos contínuos, lambendo o órgão fálico para cima e para baixo, a parte de cima e a parte de baixo do pênis. Lambeu o lado direito, depois o lado esquerdo. A parte superior, a parte inferior, a cabeça, em seguida a base. E, depois que havia recoberto o pênis com saliva, engoliu-o por completo, totalmente, no estilo garganta profunda. O corpo dele tremia e estremecia enquanto a boca da esposa continuava a absorvê-lo.

Em seguida, ele acariciou os bulbos de seus grandes seios com ternura, de tal modo que os poros da pele dela pareceram abrir-se aos seus dedos, e então ele foi mais fundo ao mover os quadris no ritmo da boca que o acariciava. Serpenteou para baixo, seu pênis escorregou da boca que salivava, e gentilmente separou as pernas da mulher, enquanto sua língua rastejava para baixo, na direção da vagina.

"Isso é maravilhoso", disse ela. "Faz isso. Me lambe, me lambe." Ela jogou a cabeça incontrolavelmente de um lado para o outro, suas mãos encontraram a cabeça dele e seus dedos ficaram emaranhados nos cabelos dele, enquanto ela abria mais suas coxas e as erguia mais alto. Os músculos de seu pescoço saltaram enquanto ela gritava "ah, ah, ah", e então ela teve um orgasmo, gemendo. O indivíduo do sexo masculino imediatamente entrou nela na posição superior masculina, e depois de uma rápida série de estocadas ela gritou: "Me enche da sua porra, me enche!".

Ele obedeceu e teve um tremendo orgasmo, e então caiu em cima dela.

Após cerca de cinco minutos, ele tirou o pênis de dentro dela e rolou para o seu lado da cama. Mais tarde, pegou uma toalha do banheiro e eles limparam seus órgãos sexuais. As narinas do Voyeur se contraíram, sentindo o cheiro excitante do sexo concluído. Mas então o indivíduo remexeu em suas roupas até achar um maço de cigarros. Acendeu dois, passando um para ela. Ela deu uma tragada e suspirou profundamente, como se dissesse: "O sexo terminou por ora, e agora estamos de volta à realidade e temos de lidar com a futilidade da vida".

Conclusão: Eis um casal sexualmente instruído e liberado que demonstra a totalidade do seu amor um pelo outro fazendo uso do sexo ao máximo. Eles mostram a todos a capacidade de livrar-se das inibições e da ignorância sexual que aprisionaram muitos indivíduos. O Voyeur ficou impressionado com a paixão sexual deles, mas gostaria que isso não tivesse chegado até ele através da fumaça de seus cigarros.

22.

Tendências e modismos chegavam com frequência aos quartos do Manor House Motel. Graças ao modelo portátil e dobrável sx-70 da Polaroid — considerado tão revolucionário que apareceu com seu criador, dr. Edwin Land, nas capas das revistas *Time* e *Life* em 1972 —, a fotografia instantânea foi uma dessas tendências. "O advento da câmera Polaroid provocou um efeito extraordinário na vida de certos indivíduos", escreveu o Voyeur em seu diário, notando que havia "observado indivíduos de todos os tipos utilizando a câmera Polaroid para registrar atividades sexuais", embora fosse "quase sempre o desejo sexual masculino, em vez do feminino".

Mas, num caso memorável, o Voyeur observou uma jovem muito atraente, estudante universitária, que esperava no motel pelo início do trimestre escolar, que tinha prazer em ver a si mesma.

Ela é branca, 21 anos, 1,67 m, cerca de 50 kg, olhos verdes, cabelos ruivos e pele cremosa. O Voyeur a observou por três dias, e durante esse tempo ela não telefonou para ninguém e nin-

guém a visitou. Aparentemente, não conhece ninguém na região porque é uma estudante nova do Colorado Women's College de Denver, e, afora sair do quarto para pegar alguma coisa para comer, costuma passar todo o seu tempo lá dentro lendo livros, assistindo à TV e, infelizmente, fumando.

Por mais solitária que pareça ser, ela não é tímida em relação ao seu corpo, porque muitas vezes anda pelo quarto nua. Na verdade, tem muito interesse em olhar para todas as partes de seu corpo no espelho. Ontem, enquanto eu a observava, retirou o espelho que se encontra sobre a cômoda e o colocou junto à parede do lado da cama para que pudesse se ver se masturbando.

Ela o faz da seguinte maneira. Primeiro, estimulou o clitóris com o dedo médio da mão direita, e então pareceu ficar excitada. Depois usou uma régua comprida para estimular os dois mamilos ao mesmo tempo (com uma mão), passando a régua para cima e para baixo sobre seus mamilos eretos. Estava com as pernas bem afastadas — os joelhos dobrados para fora e as costas arqueadas. Não se mexia muito enquanto se masturbava, além de se observar no espelho, quase como se fosse outra pessoa.

Quando chegou ao orgasmo, seus quadris se elevaram e os dedos dos pés se entesaram, curvando-se para baixo. Dez minutos depois ela repetiu isso e teve outro orgasmo. Quando o orgasmo se aproximou, ela lambeu os lábios, e seu rosto estampou uma careta de quem chupava algo.

Observando-a nesta noite, noto um indivíduo mais deprimido do que antes. Seus cabelos estão desgrenhados e andou soltando gases ao acaso e sem envergonhar-se. Suponho que ela nunca faria isso se houvesse mais alguém no quarto.

Finalmente, na terceira noite, ela faz um telefonema de longa distância para alguém em Wisconsin. Podem ser os pais ou outros familiares. Diz a eles que está bem, ansiosa para começar a escola e está a caminho de uma festa. Obviamente, não há nenhuma festa, mas ela parece sincera. Enquanto fala, também enfia o dedo no nariz e limpa na minha colcha. Depois que desliga, vejo que anda para lá e para cá, e há lágrimas nos olhos.

Então voltou para a cama, assistiu à TV e acendeu um cigarro.

Conclusão: Ela está passando por um momento difícil, obviamente, ajustando-se ao novo ambiente em Denver, e parece ter sido tomada pela depressão e solidão. Mas a masturbação parece preencher um pouco desse vazio, pelo menos temporariamente. Depois de observar muitos indivíduos, minha pesquisa conclui que as mulheres têm uma tendência a se masturbar mais por depressão do que qualquer outra coisa. Os homens se masturbam puramente por alívio físico. Este objeto de estudo feminino em particular, ao masturbar-se diante de um espelho, está tendo uma segunda perspectiva, e eu, no sótão, uma terceira.

23.

Durante seu período de voyeur-residente no Manor House Motel, Gerald Foos teve oportunidade de refletir com frequência sobre a Guerra do Vietnã. Da relação sexual terna e cuidadosa da esposa do soldado preso à cadeira de rodas ao viúvo de guerra mais velho e solitário que pagava pelos serviços de uma prostituta, seus hóspedes o levaram a ter uma visão consistentemente crítica dos efeitos da guerra.

No entanto, não foram somente seus corpos ou suas famílias que foram afetados; a impiedade de dois pilotos, seu deleite cruel com a destruição o perturbou, ao mesmo tempo que a atividade sexual deles reforçou seu pensamento sobre o voyeurismo.

Designei o quarto 6 para um casal de boa aparência da cidade de Rangely, no noroeste do Colorado. O homem era loiro e bonito e tinha cerca de 1,80 m, e a mulher tinha pelo menos 1,72 m, com longos cabelos castanhos e grandes olhos ovais. Ao conversar comigo, ele me disse que estava participando de um encontro da reserva do Exército em Denver — tinha sido piloto no Vietnã —, e sua amiga tinha algum tipo de emprego na faculdade comunitária de Rangley.

Eles também disseram que receberiam mais tarde a companhia de um amigo, também piloto, e ele precisaria de um quarto. Então, depois que me informaram seu nome, reservei para ele o quarto 7, ao lado do casal, onde há portas comunicantes.

Quando cheguei à plataforma de observação, a mulher estava tirando as botas de esqui e as meias e inclinava-se para trás na cama.

O homem loiro estava no banheiro, queixando-se de uma dor de cabeça, e disse: "Preciso pegar algo para comer. Vou me sentir melhor".

Então ela pôs as botas e eles logo saíram do quarto, retornando dentro de mais ou menos uma hora. Não muito tempo depois que voltaram, ouviu-se uma batida na porta. Era o amigo, um homem moreno e alto de vinte e tantos anos. Após uma saudação calorosa na porta, ele entrou e os três sentaram-se a conversar por cerca de uma hora, embora a TV continuasse ligada durante todo esse tempo.

Os homens conversaram principalmente sobre voar, com algumas referências a missões de helicópteros no Vietnã. O homem para o qual estava reservado o quarto 7 lembrou de certa vez ter jogado de sua canhoneira um soldado vietcongue no mar. O indivíduo me enoja.

O sujeito loiro do quarto 6, que aparentemente está trabalhando agora em algum lugar do Colorado como instrutor de voo, descreveu em detalhes o seu esporte favorito, que é perseguir e atirar em coiotes de sua aeronave. Também disse que gostava de persegui-los na direção de um penhasco de 150 metros de altura e vê-los cair para a morte. "Aqueles coiotes ficam tão preocupados e desesperados na tentativa de escapar do avião que consigo conduzi-los até a borda, e que emoção vê-los despencar e se esborrachar no cânion."

Por volta das onze horas, essa conversa nojenta terminou. O sujeito de cabelos pretos levantou-se para se despedir e foi para o quarto 7. O casal do quarto 6 começou a tirar a roupa. Ela era absolutamente estonteante. Era alta e muito magra, mas o par de seios salientes sob seu suéter de esqui fazia com que parecesse qualquer coisa, menos delgada. Finalmente, ficou nua. Mas, antes que ele se juntasse a ela na cama, ela pediu que ele desligasse a TV e as luzes do quarto, o que ele fez.

Desci correndo da plataforma de observação para o estacionamento, onde estava meu carro. Mas toda a vaga na frente do n. 6 estava ocupada, e eu não poderia focar os faróis do carro no quarto do casal, que agora estava na escuridão total. Mas, quando passei pelo n. 7, vi através das cortinas que o amigo deles tinha aberto o seu lado da porta de ligação e estava com uma orelha grudada nela, ouvindo os sons que porventura viessem da cama do quarto ao lado, e também tinha as calças abaixadas e o pênis na mão.

Voltando para a plataforma, observei-o através do respiradouro enquanto ele ouvia a mulher gemer de prazer no escuro, cada vez mais alto, enquanto seu parceiro transava com ela. Eu não conseguia ver nada disso, é claro, mas ela gemia realmente muito alto, e quando me desloquei para espreitar o quarto 7 pude ver o outro sujeito, com a cabeça pressionada contra a porta, masturbar-se até o orgasmo.

Conclusão: Esta observação corrobora minha afirmação de que todos os homens são voyeurs em algum grau e demonstrarão essa capacidade se lhes for dada a oportunidade. Mas este homem, e seu companheiro piloto ao lado, causam-me repugnância. Seu desprezo pelos animais e o lançamento do vietcongue da canhoneira me fazem torcer para que de algum modo esses dois sujeitos tenham o destino dos coiotes.

24.

O motel era um lugar para o qual os hóspedes se retiravam a fim de realizar seus desejos pervertidos. O Voyeur observou um homem, casado e pai de dois filhos, ter relações sexuais com um dos muitos ursos de pelúcia que trouxera para o quarto. "Aparentemente, ele só praticava sua depravação incomum quando estava viajando, longe da família", escreveu o Voyeur.

Em outro encontro muito mais comum, a excelente diplomacia de uma mulher transformou uma noite que poderia ter sido de arrasar o ego, de tanto constrangimento e decepção, em uma noite de prazer.

> *Um homem branco digno e bem-vestido, provavelmente de quase quarenta anos, cerca de 1,72 m de altura e pesando pelo menos 80 kg, explicou que viera de Kansas City, estava aqui a negócios e precisava de um quarto para apenas uma noite.*
>
> *Ao lado dele estava sua atraente acompanhante de 25 anos, que parecia ser de origem espanhola, mas falava inglês perfeito.*

Coloquei-os no quarto 11, que tem duas camas, e dei-lhes cerca de dez minutos para se instalarem antes de subir até a plataforma para ver e ouvir a situação deles.

Ele estava ao telefone quando cheguei, falando alto, sentado no lado da cama. A mulher espanhola estava desfazendo uma mala colocada sobre a outra cama.

"Minha esposa e eu acabamos de chegar", disse ele. "Acabamos de nos registrar neste motel, e podemos encontrá-los no restaurante que mencionamos às sete horas. Tudo bem?"

A pessoa do outro lado da linha, uma mulher, disse que sim e que ela e seu marido aguardavam ansiosamente por isso.

Depois de desligar, o homem de Kansas City virou-se para sua acompanhante e disse: "Olha, deixe que eu cuido de toda a conversa, e vamos apenas fazer o que eles quiserem, o.k.?".

"Tudo bem", disse ela.

"E não se esqueça: este casal acha que você é minha esposa, então tenha cuidado com o que você diz. Além disso, não se preocupe com qualquer um dos extras que eles possam querer, porque vou te compensar financeiramente, o.k.?"

"Tudo bem", ela repetiu.

O homem parecia inquieto e nervoso em relação ao encontro iminente com o outro casal. Ele explicou que não sabia nada a respeito deles, exceto que moravam em Denver e tinham colocado um anúncio numa revista de swingers. "Veremos como eles são no jantar, e, se todos nos dermos bem, voltamos para cá, o.k.?"

Saíram do quarto pouco antes das sete da noite e voltaram pouco depois das nove. Uns cinco minutos depois, vi um Cadillac estacionando diante do quarto 11. Voltando ao sótão, notei que os dois indivíduos do casal recém-chegado tinham em torno de 45 anos, estavam bem-vestidos e tinham uma aparência refinada, especialmente a esposa. Seu rosto era de uma beleza clássica, com um nariz aristocrático, maçãs do rosto salientes porém arredondadas, um belo queixo, pescoço longo, olhos muito grandes e uma tez que qualquer modelo invejaria.

Mas, depois que ela tirou a roupa — e o casal visitante foi rápido quanto a isso —, vi que seus seios eram muito pequenos e caídos. Depois que seu marido ficou nu, e a garota espanhola também, os três deitaram-se na cama e começaram a acariciar uns aos outros.

O homem de Kansas City estava no banheiro, com a porta fechada, e quando saiu pareceu surpreender-se que os outros não só estavam nus, como já estavam na cama trocando carícias.

"Uau", exclamou, ainda totalmente vestido, "tão rápido!"

Enquanto começava lentamente a tirar a roupa, observou que sua amiga espanhola começava a realizar felação no outro homem, enquanto a esposa deste último, ajoelhada ao lado deles, massageava suavemente os testículos do marido. A garota espanhola tinha pele escura, de um tom chocolate, e seus seios grandes eram encimados delicadamente por mamilos castanhos, e abaixo ficava sua densa floresta de pelos pubianos pretos encaracolados.

O Voyeur achou-a incrivelmente bela, e também excitante de observar, especialmente quando sua língua se moveu ao redor da protuberância roxa do pênis do homem. A esposa deste, enquanto mantinha as mãos em seus testículos, acenou com a cabeça para o sujeito de Kansas City, num gesto que o chamava para a cama.

Depois de tirar toda a roupa, ele foi para a cama meio hesitante, sentindo também a mão da esposa em seu escroto. Mas nada do que ela fez com as mãos, ou depois, com os lábios, conseguiu despertar seu pênis flácido.

Ele estava claramente constrangido, mas aceitou o convite da esposa para abaixar a cabeça entre as pernas dela e partici-

par com a língua, o que fez perfunctoriamente; mas seu pênis permaneceu inerte, reduzindo-o a mero espectador quando a esposa deslocou suas atenções para o marido e a garota espanhola num ménage à trois do outro lado da cama — onde, nos dez minutos seguintes, cada um sentiu muito prazer.

O Voyeur assistiu a tudo isso através do respiradouro, sentindo pena do indivíduo de Kansas City. O coitado, depois de ter feito todos aqueles arranjos, certamente esperava ser mais do que apenas um espectador.

Depois que o casal de swingers de Denver vestira suas roupas, se despedira e saíra do quarto, o homem de Kansas City disse suavemente para sua acompanhante: "Eu simplesmente não consegui sentir tesão com essa coisa de swing. Talvez não seja para mim".

"Ah, não se preocupe com isso", disse ela. "Vou excitá-lo."

"Sinto muito, mas me sinto mal", ele continuou.

"Não se sinta mal", disse ela. "Nós não precisamos desse tipo de sexo." Ela, então, deu a máxima atenção ao seu pênis e lambeu-o até ele se tornar uma haste rígida de excitação. Ela não tirou sua boca quente do pênis, que se avolumava, até que ele tivesse ejaculado dentro dela, no que mais tarde ele chamou de "o melhor orgasmo que já tive".

Conclusão: Pelo que entendi de toda a conversa, o homem de Kansas City leva muitas vezes a namorada espanhola com ele em viagens de negócios. Utilizou esta viagem em particular para experimentar pela primeira vez com casais de swingers. Ele obviamente não conseguia, ou não queria que sua esposa participasse da troca de casais, e a garota servia de substituta. Uma vez que as pessoas, especialmente os homens casados, tendem a se entediar com sexo rotineiro com um único parceiro, o swinging tem um objetivo. Mas o fato de esse homem não conseguir uma ereção provavelmente desencorajará sua participação em encontros semelhantes no futuro.

O Voyeur, até esta data, não observou o suficiente de sexo grupal para poder formular hipóteses sobre os efeitos da troca de companheiro nos casamentos dos participantes. Quaisquer que sejam as consequências, essa variante continuará a ser praticada por certos adultos e deve ser tolerada.

25.

Para Gerald Foos, o voyeurismo era uma "adivinhação previsível. Ele não tinha outra escolha". Conforme escreveu, era o que o fazia "sentir-se digno de crédito e útil".

O Voyeur sente-se forte e corajoso no laboratório de observação, mas não se sente particularmente poderoso em qualquer outro lugar, e sua força e coragem, quando não está no laboratório de observação, vêm do excesso de energia que sobra por simplesmente ter estado lá.

Do outro lado dos respiradouros, via-se como uma espécie de explorador em águas desconhecidas, "o que a maioria das pessoas teme e nega em si mesmas. Os tabus. Os segredos. Os diabos e demônios. Os ignotos sexuais. A curiosidade. É preciso delegar a alguém a responsabilidade de confrontar essas existências tangíveis e contar às outras pessoas a respeito delas. Nisso consiste a essência intrínseca do Voyeur".

Mas, nos milhares de relações sexuais que observou, havia algumas que achou difícil de testemunhar.

Recebi esta família de uma área rural do norte do estado de Nova York e os coloquei no quarto 11, cobrando por semana. O espaço consiste de duas camas de casal e uma pequena cozinha anexa de 2,5 metros por 3,5 metros. A família era composta por um homem branco e a esposa, ambos de quarenta e poucos anos, ele um trabalhador de cem quilos e aparência desleixada, ela uma mulher magra de aparência comum e bem-educada. Estavam acompanhados pelo filho de dezessete anos, um tipo de cabelos compridos, e uma filha de catorze anos, de cabelos escuros, bonitinha e de boas proporções para sua idade.

Durante observações irregulares de rotina, o Voyeur testemunhou que a família é persistente, mas passa por uma crise por não ter dinheiro suficiente para satisfazer totalmente suas necessidades. O pai acaba de começar a trabalhar na construção civil, mas o tempo frio e inclemente, inclusive com neve, prejudica constantemente seu emprego.

A mulher está trabalhando e ganhando apenas o suficiente para pagar pelo quarto.

A família discute e reclama a intervalos regulares. Eles precisam de mais espaço com privacidade, o que representa um perigo desgastante e constante em suas vidas. Foram despejados de sua última casa por falta de pagamento do aluguel, e seu senhorio anterior detém a posse de toda a sua mobília e seus pertences.

A vida sexual dos adultos é inexistente, em parte devido a seus problemas e, também, por falta de privacidade. Os filhos não frequentam a escola e ficam sentados no quarto fumando drogas enquanto os pais estão no trabalho. O filho adolescente compra drogas de um traficante do bairro que, além disso, quer que ele venda as drogas nas escolas da vizinhança.

O Voyeur denunciou esse plano ao departamento de polícia local, mas eles indagaram como o Voyeur descobriu isso e sabia que era verdade. A polícia disse que não podia fazer nada, porque toda a prova era um boato, e isso não era suficiente. Evidentemente, o Voyeur não podia revelar como descobrira o plano.

Uma tarde, cerca de uma semana depois que a família chegara, o Voyeur notou que o garoto e sua irmã tinham acabado de jogar Scrabble na mesa da cozinha e foram para a cama ver televisão. Nos vinte minutos seguintes, depois de ter fumado um pouco de maconha, a conversa se tornou sexual e ele começou a tocá-la ao redor dos ombros e forçou a mão sobre seus seios. Depois baixou o sutiã, expôs os seios e empurrou-a deitada na cama.

"Você vai fazer aquilo, não vai?", ela perguntou. Não parecia estar alarmada.

"Você não quer?"

"Não hoje", disse ela. "É tarde demais, e mamãe e papai podem chegar mais cedo."

"Não, eles não vão voltar agora", disse ele, "e não vou demorar muito."

Ele puxou a calça dela, depois procurou uma camisinha na carteira, mas ela disse: "Eu realmente não quero fazer agora".

Apesar da objeção, ele tirou a calça e a calcinha dela e logo estava entrando em seu corpo. Agarrou as pernas da irmã e colocou-as sobre os ombros, e então meteu com força.

"Tá doendo", ela gritou. Seus gemidos misturados com gritos eram muito audíveis para o Voyeur. Após cinco minutos de estocadas pesadas, ele chegou ao orgasmo.

Os dois permaneceram colados por um tempo, ainda na posição de coito. Ela então o empurrou, querendo que ele se levantasse. Ele tirou o pênis e a camisinha escorregou, mas parte dela permaneceu dentro da irmã.

"Fique quieta", disse ele, puxando o preservativo.

"Você perde ela aí o tempo todo", disse ela.

Depois de pegar o preservativo, ele o jogou no vaso sanitário e deu a descarga. Ela imediatamente vestiu a calcinha e a calça. Ele voltou para o quarto, deitou-se ao lado dela e eles voltaram a ver televisão.

Conclusão: A família do quarto 11 ficou mais uma semana, depois partiu para um destino e um futuro sombrio, desconhecido para o Voyeur. O casal de filhos, tenros de idade e já totalmente envolvidos na cultura da droga e da permissividade sexual dos anos 1970, sofrem imensamente por não frequentarem a escola e terem permissão para passar o dia fumando maconha sem fazer nada. A forma mais comum de incesto é provavelmente entre irmão e irmã, em particular nas famílias pobres, onde crianças de sexos diferentes precisam compartilhar o mesmo quarto.

26.

No relatório anual do Voyeur de 1977 — e, especificamente, na noite de quinta-feira, 10 de novembro de 1977 —, havia referência a uma situação em que o Voyeur viu, pela primeira vez na vida, mais do que queria ver.

O que ele viu foi um assassinato.

Aconteceu no quarto 10.

Ele descreveu os ocupantes como um casal branco jovem e atraente que alugara o quarto 10 para mais de uma semana. O homem era um sujeito esbelto de 1,80 m e 80 kg, de vinte e poucos anos. De sua espionagem, o Voyeur deduziu que o rapaz largara a faculdade e era um pequeno traficante de drogas. A mulher era uma loira bem-proporcionada de manequim 94-55-91. O Voyeur tinha conferido o tamanho de seu sutiã depois de entrar no quarto, enquanto o casal estava fora.

O casal exibia uma vida sexual vigorosa, praticando sexo oral e coito no mínimo todas as noites desde que se hospedaram no motel, e o Voyeur fez um relato aprovando isso. Porém, descreveu também incidentes em que drogas eram às vezes vendidas a pessoas que visitavam o quarto 10; embora o Voyeur ficasse contrariado com o que via, nunca pensou em avisar a polícia. No passado, havia relatado uso e comércio de drogas (mais recentemente, no caso do adolescente do quarto 11, que mantinha relações sexuais com a irmã), mas a polícia não tomou nenhuma medida porque ele não quis se identificar como testemunha ocular da queixa.

Na tarde de 10 de novembro de 1977, no entanto, depois de perceber que estavam vendendo drogas no quarto 10 para meninos, um dos quais parecia não ter mais de doze anos, Gerald Foos escreveu no *Diário do Voyeur*:

> *O Voyeur estava furioso e decidiu que ele mesmo devia tomar medidas para impedir que o traficante do quarto 10 vendesse mais drogas.*
>
> *Naquela tarde, depois que o indivíduo do sexo masculino saiu, o Voyeur entrou no quarto. Ele sabia exatamente onde as drogas estavam escondidas. Sem qualquer culpa, o Voyeur jogou silenciosamente todo o resto das drogas e a maconha no vaso sanitário. Havia cerca de dez sacos de maconha e muitas outras pílulas variadas, e tudo foi pelo ralo.*
>
> *Isso satisfez o Voyeur, e só lhe restou o desejo de aparecer no outro milhão de lugares onde existem drogas e destruí-las também. O Voyeur conseguira eliminar outras drogas que tinha visto traficantes venderem, mas esses bandidos nunca suspeitaram do Voyeur. Eles simplesmente foram embora do motel, pensando que as drogas tinham se extraviado ou alguém do seu conhecimento imediato as roubara. Não avisaram a polícia ou reclamaram. Simplesmente deixaram o motel sem saber o que acontecera com suas mercadorias perigosas.*
>
> *Ao descrever esta situação mais recente que ocorreu entre o indivíduo do sexo masculino e o indivíduo do sexo feminino no*

quarto 10, o Voyeur vai ser muito breve e apenas declarar que o indivíduo do sexo masculino acusara a mulher de pegar para si as drogas desaparecidas. Depois de brigar e discutir por cerca de uma hora, a cena abaixo do Voyeur tornou-se violenta. Foi uma experiência horrível, muito agressiva e surpreendente — o homem branco bateu na cabeça dela, o que aparentemente a atordoou, e ela gritou: "Você me machucou, pare com isso". Ele respondeu: "Onde estão minhas drogas, sua puta? Me diz ou vou te matar". Ela disse: "Eu não sei! Não fiz nada com elas".

Ele não acreditou nela e continuou a bater no seu rosto. Então, de repente, ela o chutou na região da virilha, e ele ficou realmente furioso. O indivíduo do sexo masculino agarrou o indivíduo do sexo feminino pelo pescoço e a estrangulou até ela cair inconsciente no chão.

Então, em pânico, o sujeito pegou todas as suas coisas e fugiu da região do motel.

O Voyeur, ao observar do respiradouro, e sem dúvida alguma, conseguia ver o peito da mulher se movendo — o que indicou ao Voyeur que ela ainda estava viva e, portanto, bem. Assim, o Voyeur se convenceu de que ela havia sobrevivido ao ataque de estrangulamento e ficaria bem, e saiu rapidamente da plataforma de observação para não voltar mais naquela noite.

Ao chegar à recepção do motel, ponderou cuidadosamente o que havia observado e concluiu definitivamente que a mulher estava bem, e, se não estivesse bem, de qualquer modo ele não poderia fazer nada, pois nesse momento ele era apenas um observador e não um repórter, e, na verdade, não existia no que dizia respeito aos indivíduos do sexo masculino e feminino.

Na manhã seguinte, a camareira que limpava os quartos correu para a recepção do motel e disse que uma mulher estava morta no quarto 10. O Voyeur chamou imediatamente a polí-

cia, que começou uma ampla investigação. O Voyeur só podia fornecer o nome do indivíduo do sexo masculino que ocupara o quarto com o indivíduo do sexo feminino, sua descrição, a marca do carro, o número da placa, e dizer que ele estava no quarto com a mulher na noite em que ela foi morta. O Voyeur jamais poderia fornecer a informação de que havia testemunhado o ataque do homem à mulher na noite anterior.

O Voyeur tinha finalmente de enfrentar sua própria moral e teria de sofrer para sempre em silêncio, mas nunca condenaria sua conduta ou seu comportamento nessa situação.

Depois que verificou suas pistas, a polícia voltou ao motel para relatar: as informações eram falsas. O suspeito estava usando um nome falso, um endereço falso e uma placa falsificada num carro roubado.

Quando li esse relato em Nova York, alguns anos depois de tê-lo visitado em Aurora — e quase seis anos depois do assassinato —, fiquei chocado e surpreso. Pensei que a reação indiferente e irresponsável do Voyeur diante da briga no quarto 10 era semelhante ao comportamento das testemunhas de um crime acontecido em Nova York, quando uma gerente de bar de 28 anos chamada Kitty Genovese foi atacada por um homem com uma faca numa rua do Queens pouco depois das três da manhã, no dia 13 de março de 1964.

Embora alguns fatos desse caso tenham sido posteriormente contestados — entre eles, a estimativa inicial de 38 testemunhas do assassinato, que era exagerada —, não houve dúvida de que várias pessoas viram das janelas de seus apartamentos pelo menos uma parte do brutal ato e que nenhuma delas correu para a rua a tempo de resgatar ou ajudar a jovem, que sangraria até a morte. O *New York Times*, que divulgou a notícia, citou um vizinho não identificado que teria dito que falou com outro vizinho para telefonar à polícia porque "não quero me envolver".

A explicação de Gerald Foos em seu diário de que “era apenas um observador e não um repórter” e que “na verdade, não existia no que dizia respeito aos indivíduos do sexo masculino e feminino” não me surpreendeu devido à ideia que manifestou muitas vezes de que era um indivíduo dividido, uma combinação híbrida de Voyeur e Gerald Foos, e também porque procurava desesperadamente proteger sua vida secreta no sótão. Se a polícia o tivesse interrogado e suspeitado que ele sabia mais do que estava contando, poderia ter obtido um mandado de busca para explorar sua propriedade, inclusive o sótão, e as consequências poderiam ser catastróficas.

Telefonei imediatamente a Foos para perguntar sobre a situação. Queria saber se ele se dava conta de que, além de testemunhar um assassinato, poderia de algum modo tê-lo causado. Ele relutou em dizer mais do que havia escrito em seu diário, ao mesmo tempo que me lembrava de que eu assinara um acordo de sigilo. Poderia também me lembrar de que eu era agora cúmplice dos crimes que porventura cometera. Passei algumas noites em claro perguntando-me se deveria entregar Foos ou continuar a honrar o acordo que ele me pedira para assinar junto à esteira de bagagens em Denver, em janeiro de 1980. Mas, mesmo que ele tivesse, de alguma forma, causado a morte da jovem por ter jogado as drogas no vaso sanitário, não tivesse impedido o sujeito de estrangulá-la e tivesse insensivelmente deixado para pedir ajuda no dia seguinte, porque alegava ter visto seu peito subindo e descendo, eu não acreditava que Gerald Foos fosse um assassino. E ele contara à polícia tudo o que sabia sobre a identidade do traficante de drogas e sua namorada — e agora era tarde demais para salvá-la.

Arquivei suas anotações sobre o assassinato junto com todo o material que ele me enviara no início do ano. Eu sabia agora tudo o que queria saber sobre o Voyeur.

* * *

Quando fui informado do assassinato, estava ocupado fazendo pesquisas para um livro que logo me levaria para fora do país. Eu planejava escrever sobre a imigração dos italianos para os Estados Unidos no final do século XIX e início do XX, uma história que incluiria as experiências pessoais de meus avós e pais, bem como minhas próprias lembranças de infância de quem cresceu na costa de Nova Jersey durante a Segunda Guerra Mundial, quando dois irmãos mais moços de meu pai estavam no Exército italiano tentando resistir à invasão dos Aliados.

Em 1982, depois de ter terminado de entrevistar meus pais e outros parentes que haviam se estabelecido nos Estados Unidos, aluguei um apartamento em Roma e, mais tarde, no sul da Itália, para investigar a vida de meus parentes que permaneceram na terra natal. No inverno de 1985, aluguei uma casa por cinco meses em Taormina, na Sicília, para começar a escrever o livro que seria publicado anos mais tarde com o título de *Unto the Sons*. Comigo em Taormina estava minha mulher, Nan, editora da Houghton Mifflin, que na Sicília continuou a fazer seu trabalho de leitura e edição para sua empresa em Boston; e entre os nossos hóspedes ocasionais estiveram nossa filha Pamela, de 21 anos, estagiária no *Paris Tribune*, e nossa filha Catherine, dezoito anos, que estava no segundo ano do Bard College.

Mas, durante todos esses anos, da década de 1980 até os anos 1990, estivesse eu em Nova York ou no exterior, o correio continuou a me trazer saudações pessoais e informações do sótão de Gerald Foos em Aurora, Colorado. Ele relatou que a polícia não conseguira até então rastrear o homem que havia matado a mulher no quarto 10, mas que fora chamada mais vezes ao Manor House Motel por outros motivos.

Mencionou que um hóspede do sexo masculino cometera suicídio, matando-se com uma pistola. Registrou que um hóspede de 180 quilos sofrera um ataque cardíaco fatal e que seu corpo, que inchou durante a noite, não pôde ser retirado através da porta, e a janela principal do quarto precisara ser removida para que o corpo fosse levado para o veículo do médico-legista. Um hóspede, casado e pai de dois filhos, morrera ao enfrentar um assaltante. A luta acordou sua família, que ouviu o tiro. Gerald Foos também informou que outro hóspede morrera enquanto se masturbava, e ficara com os dedos tão rigidamente agarrados ao seu pênis que a equipe da ambulância foi obrigada a levá-lo nesse estado.

Além desses acontecimentos, Gerald Foos queixou-se de estar a par de muitos outros exemplos desagradáveis ou estarrecedores do comportamento humano, entre eles roubo, incesto, bestialidade e estupro e, mesmo entre os assim chamados casais com consentimento mútuo, casos de exploração sexual. Gerald Foos acreditava que a legalização da pílula anticoncepcional no início dos anos 1960, que ele defendia apesar de ser um católico praticante, incentivou muitos homens a esperar sexo imediato. "Sim, a pílula permitiu às mulheres controlar a fertilidade", admitiu, "mas elas também assumiram a maior parte da responsabilidade e da culpa, se engravidassem acidentalmente. O homem pergunta: 'Você já tomou sua pílula, querida?', e então supõe que o problema está resolvido. Para ele é uma luz verde para o sexo, um orgasmo rápido e um sono profundo. As mulheres ganharam o direito legal de escolher, mas perderam o direito de escolher o momento certo."

Na época em que seus pais namoravam, bem como quando ele próprio estava namorando Barbara White na escola, Gerald Foos destacou o medo da gravidez e a ilegalidade do aborto como grandes fatores de diminuição das relações sexuais antes do casamento. Se os casais não casados ficassem grávidos, era na maioria dos casos considerado moralmente obrigatório, se não mandatório nos termos da lei, autenticar o relacionamento com um casamento.

Gerald Foos disse que sua mãe, quando garota do campo, aos dezessete anos de idade, praticara o método da tabelinha com seu namorado Jake, mas "cometera um erro" — e assim, estava grávida de cinco meses de Gerald no dia de seu casamento, em 1934. Para Gerald, embora a disponibilidade da pílula e a redefinição dos padrões morais na década de 1960 tenham ajudado a eliminar progressivamente os casamentos "sob o cano do revólver" nos Estados Unidos, ele não tinha certeza de que a revolução sexual tivesse produzido alguma coisa que refutasse seu relato negativo do que via de seu sótão e relatava no *Diário do Voyeur*.

Entre as décadas de 1970 e 1980, nosso país entrou em guerra consigo mesmo. Houve batalhas com palavras e imagens, através do direito e da política, sobre o que fazia de mim e das mulheres cidadãos plenos do país. Por duas gerações, discutiu-se e brigou-se por tudo, desde o papel das mulheres no mercado de trabalho à tentativa delas de controlar a reprodução, por causa da pílula, e do papel dos homens como provedores até saber se poderiam amar uns aos outros e se casar, e outras coisas e questões como gênero, sexo e família.

Durante muitas observações noturnas de indivíduos pelos respiradouros, o Voyeur podia confirmar repetidamente essas discussões em andamento entre mulheres e homens, que se caracterizavam por relações e interações sexuais infelizes, ao mesmo tempo que pouca coisa parecia estar indo bem no que se referia às suas responsabilidades e empregos no mundo externo. Quando estavam juntos na cama, ficavam horas assistindo à TV. Quando os homens estavam sozinhos, assistiam à TV e se masturbavam. Mulheres sozinhas também se masturbavam, embora não tanto. Mas acho que ambos os sexos estão se masturbando agora mais do que nunca. Os únicos casais que parecem gostar de agradar um ao outro na cama e ter a paciência e o desejo de dar orgasmos uns aos outros são compostos por lésbicas.

27.

Em questões de higiene pessoal, integridade e honestidade, o Voyeur deu notas altas a poucos hóspedes. Uma vez, pôs uma revista pornográfica na gaveta da mesa de cabeceira de um quarto onde estavam hospedados um clérigo e sua esposa. Mais tarde, ao descobrir a revista enquanto sua esposa estava fora do quarto, o clérigo masturbou-se rapidamente olhando para a foto da página central e depois enfiou a revista em sua pasta. Mais tarde, queixou-se para a esposa a respeito da revista "suja" que alguém havia esquecido e prometeu fazer uma reclamação e devolvê-la à recepção — mas nunca o fez.

Em outra ocasião, duas jovens mulheres de vinte e poucos anos e boa aparência chegaram à recepção do motel e perguntaram a Donna se poderiam dar uma olhada num quarto antes de se registrar. Isso era contra a política do motel, mas Donna a ignorou e entregou-lhes uma chave. Enquanto o Voyeur observava do sótão, as mulheres entraram às pressas no quarto e correram diretamente para o banheiro, ambas "desesperadas para aliviar-se" devido à cerveja que admitiram ter bebido no almoço.

Enquanto uma das mulheres usou o vaso sanitário, a outra agachou-se sobre o cesto de lixo de plástico diante da pia. Quando terminou e se levantou, a segunda mulher derrubou acidentalmente o cesto com o salto do sapato e uma quantidade abundante de urina escorreu pelo chão do banheiro e chegou ao tapete do quarto. De início, as duas mulheres ficaram paralisadas pelo pânico. Mas em seguida, depois de secar um pouco da urina com toalhas, que jogaram debaixo da cama, saíram rapidamente e devolveram a chave para Donna com a explicação de que voltariam mais tarde. Mas, antes que fossem embora, foram interceptadas no estacionamento pelo Voyeur que, educadamente, mas com firmeza, as convidou a voltar para o quarto e completar a tarefa de limpeza.

Embora ficasse muito descontente quando via hóspedes homens urinando em pias de banheiro, o que faziam rotineiramente quando eram o único ocupante de um quarto, sua raiva voltava-se também contra os designers e fabricantes da indústria de vasos sanitários, obviamente incapazes ou indiferentes aos desafios que os homens tinham de enfrentar para direcionar o jato de urina com precisão quando estavam de pé diante de um vaso sanitário doméstico comum, que costuma ser da altura da canela para a maioria das pessoas e tem uma bacia de forma oval que mede aproximadamente 25 por 33 centímetros. Urinar torna-se ainda mais arriscado de manhã, explicou o Voyeur, porque muitos homens, especialmente os jovens, acordam com ereções.

"Você não consegue mijar em linha reta se está com uma ereção", explicou ele, "e é por isso que tantos homens preferem a pia, que fica na altura da cintura e oferece uma área mais ampla de alvo. Se fosse eu o responsável, projetaria um banheiro doméstico mais parecido com os urinóis de banheiros públicos masculinos. Ainda haveria um vaso na frente para sentar, mas atrás haveria uma grande tampa que o usuário levantaria e empurraria para trás na posição vertical; os homens poderiam mijar contra esse dispositivo e a urina escorreria até o vaso."

Mas ele achava difícil desculpar os hóspedes cujos hábitos repugnantes consistiam em comer fast-food em suas embalagens e depois limpar os dedos engordurados na roupa de cama, e também donos de animais que não conseguiam limpar totalmente as manchas no tapete do quarto causadas pela urina e pelas fezes dos cães.

Sempre encarava um dilema quando um hóspede aproximava-se do balcão de registro acompanhado de um cachorro. Deveria alegar falsamente que não havia quartos disponíveis e, portanto, perder o cliente para um dos motéis concorrentes, todos os quais recebiam animais de estimação? Deveria colocá-los em um de seus doze quartos com aberturas de observação e depois ficar de olho nos hábitos de higiene dos animais?

O problema de ser cão de guarda de um cachorro era que, com frequência, os animais pareciam perceber que ele estava observando do sótão. De ouvidos aguçados e muito sensíveis ao cheiro, os cães apontavam o focinho para os respiradouros e começavam a latir, obrigando o Voyeur, inclinado sobre uma abertura, a congelar nessa posição e tentar não respirar. Se o cão continuava a latir e saltasse em cima da cama, equilibrando o corpo sobre as patas traseiras, o Voyeur tinha de engatinhar para trás da forma mais silenciosa possível, na esperança de que sua retirada acalmasse o animal e o incentivasse a obedecer às advertências dos donos para que parasse de fazer barulho.

Mas, além da presença de animais de estimação e violações do banheiro, a principal queixa do Voyeur como proprietário de motel — uma reclamação que manifestava em cartas, anotações no diário e eventuais telefonemas — era a convicção de que a maior parte do que via e ouvia quando espionava seus hóspedes eram palavras, frases e traços de personalidade que eram repulsivos, embusteiros, hipócritas, falsamente lisonjeiros ou totalmente desonestos.

"As pessoas são basicamente desonestas e sujas; elas trapaceiam e mentem e são motivadas por interesses pessoais", comentou ele, continuando: "Fazem parte de um mundo de fantasia de fanfarrões, jogadores, trapaceiros, intrigantes, ladrões e pessoas que, em privado, nunca são o que se mostram quando estão em público". Quanto mais tempo passava no sótão, enfatizou, mais desiludido e misantropo se tornava. Em consequência de suas observações, disse ter se tornado extremamente antissocial, e quando não estava no sótão tentava evitar ver seus hóspedes no estacionamento ou em qualquer lugar do motel, e na recepção mantinha as conversas com eles ao essencial.

Como a correspondência e os comentários do Voyeur insistiam no tema familiar de sua alienação e agonia, ocorreu-me que ele poderia estar perto de algo semelhante a um colapso mental; às vezes, imaginava-o como o âncora psicótico do filme de 1976 *Rede de intrigas*, que tem um surto: "Estou louco de raiva e não vou aguentar mais!". Lembrei-me também de certas obras literárias de muito tempo atrás: o conto "O enorme rádio", de John Cheever, de 1947, publicado na *New Yorker*, em que um casamento sofre lentamente quando o rádio recém-adquirido pelo casal lhes permite misteriosamente ouvir e ser afetados pelas conversas e segredos de seus inquilinos vizinhos; e o romance de Nathanael West de 1933, *Miss Corações Solitários*, em que um jornalista que mantém uma coluna de aconselhamento num jornal torna-se um alcoólatra irascível e instável devido às suas frustrações e sensibilidades em face das vidas vazias e soluções duvidosas de seus leitores.

Porém, no caso do Voyeur, eu acreditava que suas críticas a outras pessoas eram expressas sem qualquer senso de ironia ou consciência de si mesmo. Ali estava um enxerido no sótão alegando superioridade moral, enquanto investigava e julgava seus hóspedes com dureza, ao mesmo tempo que se arrogava o direito de espionar com distanciamento e imunidade.

E onde eu ficava no meio de tudo isso? Eu era o amigo por correspondência do Voyeur, seu confessor talvez, ou um auxiliar de uma vida secreta que ele escolheu *não* manter totalmente em segredo. Talvez precisasse de mim como confidente, além de sua parceira de negócios de longa data e esposa, Donna. Ele disse que, quando confessou pela primeira vez a Donna suas rondas de infância em torno do quarto da tia Katheryn, Donna ficara estupefata demais para responder. Dera apenas uma risadinha.

Depois ela perguntou: "Você realmente fez isso quando era criança? E não é isso que chamam de bisbilhotar?". Ele respondeu: "Não, é uma viagem em minha exploração", e mais tarde manifestou a ela seu desejo de comprar um motel e convertê-lo em um "laboratório".

Isso foi no início do casamento deles; depois que encontrou o motel que queria, ele a abordou e perguntou: "Você concordaria com isso? Teríamos de manter em segredo — só você e eu, e ninguém mais. É assim que tem de ser". Donna pensou por um momento e então respondeu: "Claro, e é assim que vai ser".

Mas, obviamente, a relação somente com Donna não era suficiente para ele, e por fim fui convidado a entrar em sua privacidade e, através do correio, tornei-me uma válvula de escape, lendo sua versão do que via e do que sentia, e também compartilhando um pouco do pesar e da tristeza pessoal que sentia como um homem de família. Ele me escreveu sobre os problemas constantes de sua filha adolescente Dianne, e em mais de uma ocasião desabafou em cartas e telefonemas sobre Mark, seu filho em idade universitária que, conforme contou, passou três meses na cadeia depois que ele e colegas estudantes foram presos por assaltar um restaurante, presumivelmente com o objetivo de conseguir dinheiro para drogas.

"Mark nunca usou drogas no colégio, até onde sei", ele me disse. "No primeiro ano de faculdade, saiu-se bem. Mas, no segundo ano, parece que se envolveu com alguns idiotas, idiotas espertinhos, e eles fizeram um assalto à mão armada. Por quê? Mark tinha uma camionete nova, tinha todas as roupas que queria, tinha todo o dinheiro que queria, toda a faculdade paga. E ele vai e comete um assalto! Isso é um reflexo dos valores de sua família? Isso é culpa de seu pai? Culpa de sua mãe? Mark tinha um potencial tão grande. Estava estudando para ser engenheiro de petróleo, onde o salário inicial é de cerca de 200 mil dólares por ano. E aí ele e seus amigos assaltam um restaurante! Conseguiram 47 dólares."

28.

Devido às minhas frequentes viagens entre a Itália e os Estados Unidos ao longo desses anos, às vezes eu passava meses sem responder, e ocorreu-me com frequência que seria prudente interromper nossa correspondência. Qual o propósito de todas aquelas cartas? Gerald Foos não era minha propriedade literária. Ele não era um indivíduo a respeito do qual eu poderia escrever, apesar da minha curiosidade em saber como aquilo iria acabar. Ele seria apanhado? Se sim, qual seria a estratégia de seus advogados? Ele seria ingênuo a ponto de pensar que os jurados poderiam ser convencidos a aceitar que seu sótão era um laboratório em busca de verdade? E, ademais, se os promotores descobrissem nossa correspondência ao vasculhar seus arquivos, eu poderia ser intimado a depor?

Evidentemente, eu faria todo o possível para evitar isso. Mas, mesmo que continuasse a evitar a descoberta de sua atividade secreta, ele não tinha serventia a mim como escritor porque, como disse anteriormente, eu fazia questão de usar nomes reais em meus artigos e livros. Eu não era um escritor de ficção que criava identidades e situações. Era um escritor de não ficção que não imaginava nada e obtinha o que conseguia conversando com as pessoas e as seguindo. Não escondia nada de meus leitores — nomes verdadeiros e fatos reais que pudessem ser verificados, ou nenhuma história.

Mesmo assim, sempre que chegava uma carta com seu endereço de remetente no envelope, eu a abria sem demora. E foi com choque e consternação que, ao receber uma carta de Gerald, datada de 8 de março de 1985, fiquei sabendo que Donna tinha morrido. Morrera em 27 de setembro de 1984. Tinha quase cinquenta anos e sofria de lúpus.

"Faz quase dois anos que não tenho contato com você", começava a carta de Gerald, e, embora eu não percebesse um tom incriminador em suas palavras, me perguntava por que ele demorara um ano e meio para me dar a triste notícia. Talvez me houvesse escrito antes e meu hóspede em Nova York tivesse encaminhado a carta incorretamente para a Itália. De qualquer modo, Donna tinha morrido e a carta de Gerald me fornecia uma informação adicional: "Há uma nova mulher em minha vida".

Telefonei para ele imediatamente de Nova York para dar minhas condolências em relação a Donna e, dias depois, mandei uma carta perguntando sobre a mulher do Voyeur tão discretamente quanto consegui: "A sua nova amiga tem alguma ideia de seu interessante passado?".

Com o tempo, fiquei sabendo que sim e que, como Donna, ela não só tolerava sua bisbilhotice como às vezes juntava-se a ele no sótão para participar. Não soube de tudo isso de uma só vez; na verdade, demoraria dezenas de cartas, várias conversas por telefone e anos de indagação bem-educada de minha parte para montar um resumo da vida de Gerald Foos entre minha primeira e única visita pessoal a ele em 1980 e sua carta, em 1985, me informando da morte de Donna.

Sua "nova mulher" tinha 1,62 metro, seios grandes, olhos verdes e cabelos ruivos, era divorciada, chamava-se Anita Clark e era dezoito anos mais jovem do que ele. Nascida em Nebraska de pais da classe trabalhadora, foi com eles para o Colorado quando tinha sete anos. Depois de terminar o colegial em Aurora, teve empregos de curta duração como babá, auxiliar de enfermagem e ajudante de garçom num restaurante de beira de estrada. Foi no restaurante que conheceu seu futuro marido, um motorista de caminhão, com quem se casou em 1976, quando tinha 24 anos.

Três anos depois o casal se divorciou e, com a pequena pensão para os filhos e sem emprego, ela lutou sozinha para criar seus dois meninos, dos quais o mais velho era deficiente. Uma de suas pernas acabava na altura do joelho, a outra no pé. Quando ele completou cinco anos, Anita morava com ele e seu irmão de três anos num trailer, sobrevivendo à base de cupons de alimentação.

Uma tarde, quando levava os meninos para um passeio num vagonete Radio Flyer pela East Colfax Avenue, ela notou um homem mudando, numa escada, os dizeres na placa do Manor House Motel. Em resposta à sua alegre saudação, Gerald Foos desceu e conversou brevemente com ela. Anita o apresentou aos filhos pelo nome — o mais velho era Jody, o mais novo, Will —, ambos ruivos como a mãe.

Os meninos sorriram quando Gerald estendeu a mão para cumprimentá-los. Ficou perturbado e entristecido quando notou que Jody não tinha as pernas completas. Gerald não disse nada, mas de repente se lembrou do veterano do Vietnã sem pernas que observara lutando para fazer amor no motel. Anita interrompeu o silêncio de Gerald para dizer que tinha um compromisso, e assim se desculpou e empurrou o vagonete para a frente enquanto Jody e Will se viravam para dizer adeus.

Passaram-se semanas até que Gerald a encontrasse de novo, dessa vez numa festa em torno da piscina de um estacionamento de trailers, para a qual fora convidado por um amigo que morava lá. Num primeiro momento, Gerald não reconheceu Anita, pois concentrou sua atenção principalmente em seu corpo esbelto, de seios grandes, dentro de um maiô pingando água. Sua tia Katheryn tinha um corpo parecido, assim como sua namorada de colégio, Barbara White, e sua esposa, Donna. Mas, mesmo depois de ter sido apresentado a Anita por seu amigo, ele não se lembrou do encontro anterior na calçada com seus filhos, até que ela própria o mencionou.

Ele também não estava se sentindo muito sociável nessa ocasião. Decidira ir à festa no último minuto apenas para se distrair das dificuldades com Donna. Ele e Donna brigavam havia semanas. Um dia antes, ela procurara um advogado para tratar do divórcio. Gerald implorara-lhe para reconsiderar, mas ela ficara furiosa e implacável desde que soubera que ele tivera um caso naquele ano com uma mulher jovem e bonita, empregada numa agência de relações públicas de Denver.

Fora a sua primeira e única experiência extraconjugal em mais de vinte anos de casamento. Muitas vezes havia desejado violar seu acordo com Donna de que ele podia olhar, mas nunca tocar, e ele próprio admitira no *Diário do Voyeur* que desejava outras mulheres. Mas, estranhamente, não fora sua iniciativa, e sim a agressividade da relações-públicas que o levara ao seu primeiro caso. Depois de décadas de espectador, sem nunca participar, finalmente encontrou uma mulher que aparentemente estava de olho nele.

Para um voyeur, era uma situação nova e intrigante. Não se sentia tão desejável desde seus dias de astro do esporte no colégio. De início, pensou que estava imaginando o interesse da dama de RP; talvez fosse um sintoma da fantasia masculina. Não podia supor que os modos amistosos dela e sua aparência bem cuidada tinham alguma coisa a ver com ele pessoalmente; afinal de contas, fazia parte do trabalho dela sorrir e exalar amabilidade ao entrar nos escritórios de motéis todas as semanas e deixar folhetos turísticos e informações sobre atividades patrocinadas pela cidade.

Porém, quando ela propôs a Gerald um almoço ou um drinque numa noite qualquer, ele começou a pensar diferente. Em todo o seu tempo de sótão, nunca observara uma mulher parecida com aquela. Era uma profissional refinada e discretamente feminina nas roupas e no comportamento, e contudo era abertamente sedutora e aparentemente disposta a correr riscos com um homem que sabia ser casado. Havia inclusive, em certa ocasião, conhecido Donna. Mas também parecia saber quando Donna e Viola, sua sogra, estavam fora da recepção e ele estava sozinho atrás do balcão para cumprimentar e conversar com ela — uma circunstância que, com efeito, gradualmente os levou a se encontrarem uma noite num bar do outro lado da cidade e depois passarem algumas horas juntos na cama de um motel vizinho.

Esses encontros repetiram-se por meses, e para Gerald foi excitante e excepcional; era hóspede num motel com uma mulher solteira que aparentemente não queria nada mais além de sexo casual e amizade. O sexo era satisfatório para ambos, até onde ele podia dizer, embora, em termos físicos, ela não estivesse à altura de seu ideal. Era uma mulher magra de seios pequenos e pouco tônus muscular. Era mais bonita vestida do que nua. Mas era muito divertida e travessa, e ele não via nenhuma razão para que seu flerte não pudesse continuar indefinidamente — mas acabou abruptamente, depois que Donna ficou sabendo.

Gerald desconfiou que Donna tinha sido avisada por uma das esposas que eram sócias de um dos motéis que ele frequentava. Mas não importava: Donna tinha tanta informação detalhada sobre o paradeiro de Gerald que ele não tentou se defender. Prometeu acabar com o caso imediatamente, e assim o fez. Não queria perder Donna.

Mas não conseguiu apaziguá-la. Ela era uma pessoa de temperamento forte, cuja confiança nele tinha sido destruída, e ela levou adiante com determinação o pedido de divórcio, que obteve em 1983. Já desocupara a casa no campo de golfe e residia em outra parte de Aurora. Durante esse período, seu lúpus piorou e ela não conseguiu manter sua agenda normal de trabalho no hospital, onde fora promovida a diretora de enfermagem.

Gerald a procurou várias vezes, ainda com esperanças de reconciliação; mas, como ela continuou inflexível, ele por fim desistiu e fez contato com Anita Clark, a divorciada de cabelos ruivos e dois filhos pequenos.

Gerald e Anita começaram a se encontrar com frequência e, em cartas para mim, ele a descreveu como uma fonte bem-vinda de apoio e conforto. "Ela é calma, gentil e de trato muito fácil", escreveu ele. "Ela também prometeu manter minha vida voyeurística em segredo."

Numa observação posterior, descreveu-se como um homem mudado, de menos consternação e mais fanfarronice. "Se Anita alguma vez pensar em casamento, não será por gratidão ou devoção, mas porque ela aprendeu a amar de novo, quase contra sua vontade. Ela vai precisar de um pensador forte e vigoroso, um grande homem, cuja vontade e cujo intelecto submetam seu coração e sem cuja companhia ela não consiga viver. Ela agora conheceu essa pessoa em Gerald L. Foos."

Em 20 de abril de 1984, Gerald Foos e Anita Clark casaram-se em Las Vegas. Depois que voltaram para Aurora, ela começou a ajudá-lo no motel e a morar com ele no campo de golfe municipal. Na recepção do motel, oferecia a mesma cortesia a cada hóspede que chegava, mas, seguindo a política de Donna, designava os mais atraentes para os quartos que ofereciam oportunidades de observação a Gerald.

Ela havia visto filmes pornográficos antes de conhecer Gerald, mas depois de se casar com ele acostumou-se a assistir a performances ao vivo, enquanto se reclinava com ele no sótão, às vezes praticando simultaneamente sexo oral ou coito. Adaptou-se facilmente às rotinas prazerosas que ele tivera em épocas anteriores e melhores com Donna e, como não tinha um emprego, Anita trabalhava em tempo integral no motel e logo tornou-se responsável por grande parte de sua manutenção diária e contabilidade.

Na ausência de Donna e Viola, Anita contratou dois substitutos para o escritório e também contava com a ajuda em tempo parcial da filha de Gerald, Dianne, sempre que a saúde dela permitia. Além disso, Gerald recrutou os serviços de Mark, seu filho distante, para que ele ganhasse experiência administrativa num momento em que estava pensando em expandir o negócio, o que de fato aconteceu em 1987, quando comprou um segundo motel por aproximadamente 200 mil dólares.

29.

O segundo motel de Gerald chamava-se Riviera e estava localizado no número 9100 da East Colfax Avenue, a cerca de dez minutos de carro do Manor House. O Riviera era uma construção de dois andares e 72 quartos. Gerald instalou apenas quatro respiradouros falsos no teto dos quartos, porque o telhado relativamente plano do motel proporcionava apenas um espaço apertado para engatinhar dentro do sótão; assim, o Manor House continuou a ser seu quartel-general de observação.

"Voyeurs são aleijados [...] a quem Deus não abençoou", escreveu ele. "Deus nos disse: 'Você observa por sua própria conta e risco.'" Em outra carta, baseada em suas lembranças do mar, ele escreveu: "O Voyeur se compara ao cronômetro de um navio, uma vigilância ou sentinela contínua e sempre em estado de alerta. [...] O Voyeur é aquele que ficado sentado à noite e está sempre acordado noite e dia, à espera da próxima observação".

Nas férias de Natal de 1991, Gerald e Anita visitaram Nova York e ficaram num hotel não muito longe de minha casa. Mas não os vi. Eu tinha acabado de concluir um livro e estava ocupado com outro, um livro de memórias chamado *Vida de escritor*, que me levou ao Alabama para revisitar meus tempos de estudante na Universidade do Alabama no início da década de 1950, e também de volta aos meus dias de repórter na década de 1960, quando trabalhava no *New York Times* ajudando a cobrir conflitos em torno de direitos civis, como o incidente do Domingo Sangrento, que ocorreu em Selma, antigo centro rural do Alabama, em 7 de março de 1965.

Em 1993, fui convidado por Tina Brown a colaborar com a *New Yorker* como escritor independente, e um dos muitos temas que discuti com a editora recém-nomeada da revista foi a história do Voyeur e seu motel. Tina ficou impressionada e interessada pela história, mas não consegui fazer com que Gerald se comprometesse a torná-la pública e, portanto, ela era inviável. Fazia mais de uma década que ele me procurara pela primeira vez; tendo em vista que eu não guardava segredos de meus leitores, e por duvidar que Gerald viesse a concordar em ter seu nome impresso na revista, não achava que a história viesse a ser publicada.

Foi quando eu estava no Alabama em 1996, fazendo pesquisas suplementares para *Vida de escritor*, que Gerald Foos me escreveu dizendo que seus dias de proprietário de motel tinham acabado. Ele estava agora com sessenta e poucos anos e seus joelhos e suas costas estavam tão atacados de artrite que lhe era extremamente doloroso subir a escada e engatinhar pelo sótão para se posicionar sobre as aberturas com lâminas.

Anita e eu nos aposentamos em 1º de novembro de 1996, quando vendemos nosso último motel, o Riviera; antes vendemos o Manor House, em agosto de 1996.

Houve algo de enfático, nostálgico e um tanto doloroso no encerramento e na cessação da função do laboratório de observação localizado em ambos os motéis.

Portanto, acho que nunca poderei voltar àquele espaço protegido, aquele solo sagrado, onde somente a verdade e a honestidade foram observadas e prevaleceram. Mas tenho confiança de que acumulei intensidade física suficiente para seguir com minha vida sem a presença dos motéis e seus respectivos laboratórios de observação.

Ele contou que vendeu ambos os motéis para coreanos residentes em Denver — "são as únicas pessoas que têm dinheiro por aqui" — e que, antes da venda, havia removido pessoalmente as aberturas de observação e coberto os buracos no teto "para proteger a integridade e os interesses comerciais dos novos proprietários, sem preconceito".

Ele e Anita compraram um sítio em Cherokee Park, nas Montanhas Rochosas, com a intenção de passar quase tanto tempo lá quanto em sua casa no campo de golfe de Aurora. Às vezes, podia caminhar sem bengala pela parte lisa do campo de golfe, mas suas costas o impediam de jogar; assim, ele e Anita dedicavam grande parte do seu tempo livre a pescar juntos num lago das proximidades, ou a viajar de carro pela região e, frequentemente, pelas áreas agrícolas do norte do Colorado, onde Gerald havia crescido.

Parei diante de uma casa, bati na porta e, depois que um adolescente a abriu, expliquei que eu tinha nascido naquela casa. Depois de alguma conversa, ele me convidou a entrar. Não consegui me lembrar de muita coisa, porque a casa tinha sido reformada, e a única lembrança visível eram os degraus que levavam ao andar de cima. Fiquei perto da janela da cozinha, onde minha mãe costumava espiar na ponta dos pés e dizer o nome de cada pássaro que visitava o alimentador e outros pássaros que ela identificava pelo canto. Lembro ter pensado na época: existem observadores de aves, existem observadores de estrelas e existem pessoas como eu, que observam pessoas.

Ele sentia muita falta de seus motéis, embora tentasse se convencer de que fora somente sua artrite que motivara a venda. O negócio de motéis como ele havia conhecido estaria em breve em declínio, acreditava ele. Quando começou, na década de 1960, os padrões morais eram ainda bastante restritivos e, por causa disso, a clientela dos encontros amorosos inclinava-se a frequentar lugares como o Manor House — embora ele insistisse que dirigia seu negócio de forma mais responsável do que a maioria dos proprietários que, operando ao longo da East Colfax Avenue e em outros lugares de Aurora, não perguntavam coisa alguma sobre os hóspedes. Ele não só fazia perguntas na tentativa de verificar a identidade dos hóspedes que chegavam, como também, em momentos oportunos, pegava o binóculo e olhava pela janela da recepção em direção às fileiras de carros estacionados, anotando em seu bloco o número da placa de cada veículo.

De qualquer modo, os clientes do Manor House e outros pequenos motéis que atraíam tradicionalmente os amantes cautelosos — hóspedes para "almoço executivo", swingers, homossexuais, casais inter-raciais, adúlteros, adúlteras e outros que preferiam se encontrar em lugares onde podiam caminhar de seus carros diretamente para os quartos, sem ter que passar por saguões e utilizar elevadores — eram pessoas que agora podiam se registrar em hotéis proeminentes e franquias de motéis bem cotados, a maioria dos quais tinha quartos com aparelhos de televisão que ofereciam programas pornográficos.

Claro, ninguém sabia melhor do que Gerald a diferença entre assistir à pornografia na TV e vê-la ao vivo de um sótão, e era disso que mais sentia saudade depois de vender seus motéis. Muitas vezes, quando passava de carro pelo Manor House e pelo Riviera, fazia uma pausa junto ao meio-fio da East Colfax Avenue e, com o motor desligado, ficava olhando de longe para aquilo que conhecera por tanto tempo e tão intimamente e que outrora, nas palavras de seu diário, ele dominara na qualidade de "maior voyeur do mundo".

Era capaz de lembrar não somente as posições e ângulos específicos de diversos corpos debruçados, mas também seus nomes e o número de seus quartos, e o que havia de tão especial e memorável em relação a eles — o adorável casal de professoras lésbicas de Vallejo, Califórnia; o casal do Colorado na cama com o jovem garanhão que empregavam em sua distribuidora de aspiradores de pó; a bela senhora com vibrador do Mississippi que trabalhou brevemente como camareira no Manor House; a desconcertante candidata a Miss América de Oakland que dormiu no quarto 5 com o marido por duas semanas sem fazer sexo; a mãe suburbana que gostava de encontros luxuriosos à tarde com um médico antes de voltar para casa e jantar com seus dois filhos e seu belo marido; e o casal feliz e cheio de tesão de Wichita, Kansas, sobre os quais o Voyeur escreveu em seu diário: "Quem dera tivessem ficado mais tempo".

Rolos de filmes com essas imagens e outras semelhantes rodavam com clareza por sua mente, quase todos os dias e noites, sem esmaecer com a passagem do tempo. Lembrou-se da voz de uma mulher que telefonara para o Manor House mais de trinta anos antes, no início do verão de 1967, solicitando um quarto para quatro dias.

Disse que chegaria em breve a Denver de Los Angeles e acrescentou que, quando se hospedara anteriormente no Manor House, a gerência buscava seus hóspedes no aeroporto. Embora se tratasse de uma cortesia fornecida por um proprietário anterior, Gerald disse que iria a seu encontro. Sua plataforma de observação no sótão estava então no segundo ano de funcionamento.

No setor de retirada de bagagens, cumprimentou uma morena bem cuidada de vinte e poucos anos que usava um vestido de algodão florido e luvas brancas e viajava com uma única mala de couro grande. No carro, ela explicou que terminara um mestrado em educação, mas estava pensando em entrar na Faculdade de Direito do Colorado. Queria se especializar em litígios de heranças, e explicou num estilo entrecortado, como se desse uma palestra: "Uma grande fortuna com certeza será dividida. A morte tornará isso necessário, e os herdeiros sobreviventes o exigirão. E parentes distantes entrarão com solicitações de partilha, e muitas vezes a lei ajuda seus pedidos. E é aí que quero entrar em suas vidas".

Uma vez que se tratava do primeiro encontro de Gerald com um hóspede antes do check-in, ele estava curioso, mas reticente, querendo se comportar de modo correto enquanto a levava para o que certamente não era correto. Embora ela fosse franca em relação às suas aspirações de carreira, ele não quis arriscar ofendê-la com questões pessoais sobre seu estado civil, ou mesmo se tinha amigos na região de Denver. Era suficiente que estivesse interessado no que ela estava dizendo sobre direito e outros assuntos, como a pena de morte — sobre a qual ela declarou ser contra, e ele ficou contente de lhe dizer que também era.

Depois que entrou no estacionamento e Donna, que ainda era sua esposa, reservou um quarto para a mulher, Gerald subiu diretamente para o sótão e descreveu o que viu.

> *Ela finalmente tirou sua anágua de rendas, depois soltou o sutiã, e seus seios eram extraordinariamente grandes, daqueles que se escondem num sutiã apertado e querem escapar. Depois de uma hora pensando em silêncio enquanto desfazia a mala e organizava suas coisas, ela finalmente deitou-se nua na cama e começou uma masturbação provocativa. Durante o orgasmo, esticou as pernas para fora e para cima e ergueu o torso.*

O Voyeur se masturbou e teve um orgasmo junto com ela. No dia seguinte, ela e o Voyeur tiveram uma breve conversa na recepção, antes que ela pegasse um táxi para o campus, e mais tarde naquela noite, antes de ir para a cama, ela se masturbou novamente. Fez isso pelo menos uma vez por dia durante sua permanência de quatro dias, e a cada vez o Voyeur se juntou a ela.

Quando ela saiu do motel, Donna contratou um motorista para levá-la ao aeroporto, enquanto o Voyeur permanecia no sótão. Ele não queria dizer adeus. Queria guardá-la na memória como preferia vê-la, nua, dando prazer a si mesma — e também a ele. Ela nunca mais telefonou pedindo reserva, e ele nunca soube o que aconteceu com ela; mas, no que lhe dizia respeito, ela seria para sempre sua hóspede, o seu objeto de desejo sem jamais desconfiar disso, num loop de mulheres adoráveis que observara quando mais jovem e em que agora pensava em seus anos de aposentadoria de voyeur-desalojado.

Isso pode levar a pensar em um harém fantasiado por muito tempo por ele, mas o fantástico para ele era que tudo tinha sido real — não um produto de sua imaginação, mas algo que ele próprio testemunhara. Suas observações eram um verdadeiro recorte da vida, que reafirmava a incompletude da imagem de pessoas vistas em atividade e poses diárias em lugares como shoppings, terminais ferroviários, estádios, edifícios de escritórios, restaurantes, igrejas, casas de show e campus universitários.

Por mais de trinta anos, ele estivera a par da privacidade de outras pessoas, mas agora, embora uma miríade de cenas secretas permanecesse gravada em sua mente, ele tinha perdido para sempre a sensação de fascínio e excitação que costumava preceder a entrada de cada hóspede num quarto — o som da chave girando na fechadura, a visão do pé de uma mulher cruzando a porta, a conversa de um casal enquanto desfaziam as malas, o soltar de um sutiã, a visita ao banheiro, o despir das roupas, os lençóis que escorregavam para baixo e, se aquelas fossem realmente palavras de galanteio que ouvira, seu desejo ardente de ver o que aconteceria a seguir.

Evidentemente, o Voyeur só podia adivinhar, e isso fazia parte da emoção — não saber até depois que tivesse acontecido —, bem como as surpresas e decepções que faziam parte do negócio. Mas o que ele via alimentava seu desejo de ver mais. Era um espectador viciado. Sua ocupação era a expectativa. E foi disso que ele se aposentou quando vendeu seus motéis.

30.

Entre 1998 e 2003, passei muito tempo na China e em outros lugares da Ásia, acompanhando a seleção chinesa de futebol feminino e uma de suas jogadoras, Liu Ying, uma personagem importante do livro no qual eu estava trabalhando, *Vida de escritor*.

Durante esse período e na década seguinte, eu mais ou menos esqueci de meu correspondente voyeur de Aurora, cidade da qual nunca tinha ouvido falar antes de receber sua primeira carta, em 1980; e, depois que ele vendeu os motéis, meu interesse por Aurora desapareceu por completo — até que a vi, surpreendentemente, na primeira página do *New York Times*, em 21 de julho de 2012.

A manchete principal chamava para a notícia de um estudante de pós-graduação em neurociências de 24 anos da Universidade do Colorado, em Denver, que matara a tiros doze pessoas e ferira outras setenta num cinema de Aurora antes da sessão da meia-noite de uma continuação de Batman chamada *O Cavaleiro das Trevas ressurge*. O atirador foi identificado como sendo James E. Holmes, produto de uma comunidade de classe média de San

Diego, cujos pais foram descritos no *Times* como "pessoas muito, muito legais" e cuja mãe era enfermeira.

A polícia de Aurora disse que Holmes, vestido de preto e com o cabelo tingido de laranja e vermelho, disparou aleatoriamente na plateia com um rifle de ataque AR-15, uma espingarda Remington e um revólver Glock calibre .40. Muitos telefonemas do cinema para o 911 alertaram a polícia, que logo prendeu Holmes perto de seu carro estacionado. Mais tarde, ele admitiu que havia instalado dispositivos incendiários e químicos e armadilha de arame em seu apartamento em Aurora.

Depois de ler rapidamente o artigo do *Times* e ver que o nome de Gerald Foos não estava na lista de mortos ou feridos, entrei finalmente em contato com ele por telefone, assim que uma telefonista paciente descobriu seu novo endereço. Foos concordou que ele e Anita tiveram sorte de não estar presentes na exibição de *O Cavaleiro das Trevas ressurge*, pois iam muitas vezes àquele cinema, e disse que conhecia o apartamento do atirador.

"É o mesmo apartamento do terceiro andar, na esquina das ruas 17 e Paris, que aluguei há alguns anos para meu filho, Mark", disse Foos. "Tivemos muitas conversas profundas lá. Depois que levei meu filho para outro bairro, parece que esse cara o substituiu no apartamento, mas não me lembro de ter topado com esse cara cuja foto está agora em todos os noticiários."

Cerca de uma semana após o telefonema, Gerald Foos estava novamente se correspondendo comigo e, em uma de suas primeiras cartas, descreveu suas andanças por Aurora no rescaldo da tragédia.

Quando passei de carro pelo Aurora Mall e pelo Cinema multiplex 16, onde o tiroteio ocorreu, e que ainda está sob investigação policial, notei o conjunto de flores e ursinhos de pelúcia que as pessoas puseram no chão em memória das vítimas. Esta é uma área nova da cidade — muitas vitrines cintilantes e belos edifícios: o tribunal do condado está aqui, a delegacia está aqui, a biblioteca está aqui. Por que as mortes aqui?

O povo de Aurora não tratou seus semelhantes com bondade e consideração suficientes para que a espada de Dâmocles não caísse sobre nós? Ou os assassinatos foram apenas uma ocorrência natural em nossa sociedade, que nós toleramos?

Em outra carta, ele escreveu:

Sinto-me terrivelmente incomodado no mundo e na sociedade de hoje. Como Voyeur, sentia-me particularmente poderoso na plataforma de observação, mas agora, como Gerald, não me sinto mais assim. Gerald sente-se inquieto em sua ampla casa, e as sensações de sua juventude indo embora estão presentes em sua mente. Quando se olha no espelho acima da pia do banheiro percebe a idade em seus olhos e os cabelos grisalhos na cabeça e na barba. Planeja tingir o cabelo e, depois que o faz, vê isso como uma farsa, uma mentira com que ele quer convencer qualquer um que possa encontrar hoje. Ao aplicar a tintura, está fazendo aquilo com que o Voyeur sempre lutou contra — qualquer tentativa de subverter a realidade, a substância, a verdade, e em vez disso Gerald está recorrendo a uma ilusão artificial que seus semelhantes podem aceitar como a verdade.

Em seu carro, Gerald percorre Aurora e, quando se aproxima da East Colfax Avenue, nota o loteamento mexicano a leste e oeste do Manor House Motel. A leste do Riviera Motel, há agora lojas, principalmente de asiáticos, que tomaram o lugar do comércio que ele conhecia. Isso o perturba, saber que as pessoas que conhecia se mudaram ou morreram. Não conhece ninguém na rua ou nas lojas daqui. Sente-se perdido e sem uma cidade. O barbeiro se foi. O posto de gasolina se foi. E agora o Voyeur e Gerald são entidades separadas, totalmente desconectadas desde que seu mandato na plataforma de observação acabou.

Gerald para seu carro em uma esquina quando o semáforo fica vermelho. Na parada, olha pelo para-brisa e vê uma câmera que fiscaliza o cruzamento. Ele sabe que acabam de tirar sua fotografia, assim como da placa de seu carro.

Seguindo para o banco, onde estaciona para fazer um depósito, passa sob outra câmera que vigia o estacionamento, e outra câmera que vigia a entrada. Dentro do banco, quando está diante do caixa e faz o seu depósito, é fotografado mais uma vez por uma câmera colocada no teto.

Mais tarde, em uma mercearia, uma das poucas lojas que Gerald conhece de outros tempos e cujo gerente é seu amigo, ele pergunta ao amigo, apontando para uma câmera no teto: "O que você faz com essas fitas que são trocadas todos os dias?". O gerente diz: "São para a nossa segurança, como você sabe, mas a polícia, o FBI e a IRS também fazem uso delas, e nunca sabemos por quê. Tudo o que sabemos é que quase tudo o que fazemos está registrado".

Gerald volta para o carro e, no caminho para casa, pensa sobre todas as mudanças pelas quais ele e o Voyeur passaram desde a abertura do Manor House Motel, mais de trinta anos atrás. Agora as vidas privadas de figuras públicas são expostas na mídia quase todos os dias, até mesmo o diretor da CIA, general David Petraeus, não conseguiu manter sua vida sexual secreta fora das manchetes. A mídia está agora no negócio do voyeurismo, mas o maior voyeur de todos é o governo dos Estados Unidos, que está de olho em nossas vidas através de câmeras de segurança, da internet, de nossos cartões de crédito, de nossas contas bancárias, nossos telefones celulares, iPhones, in-

formações de GPS, nossas passagens de avião, escutas telefônicas e todo o resto.

Talvez você esteja pensando: por que isso interessa a Gerald Foos?

Porque é possível que algum dia o FBI apareça e diga: "Gerald Foos, temos provas de que você andou vendo as pessoas de sua plataforma de observação. Você é o quê, um pervertido?".

E então Gerald Foos responderá: "E você, Big Brother? Há anos você me observa aonde quer que eu vá".

31.

No início da primavera de 2013, recebi um telefonema em casa, em Nova York, de Gerald Foos, dizendo que estava finalmente disposto a tornar pública sua história. Dezoito anos haviam se passado desde que se desfizera dos motéis e, embora não pudesse ter certeza das consequências legais, acreditava que o prazo de prescrição o protegeria agora dos processos de invasão de privacidade que poderiam ser movidos por ex-clientes dos motéis Manor House e Riviera.

Ele se aproximava dos oitenta anos, lembrou-me, e, se não compartilhasse agora o material de seu diário com os leitores, talvez não tivesse tempo suficiente no futuro. Então, sugeriu que eu fosse vê-lo em breve.

Dentro de um mês, depois que abri espaço na minha agenda para uma visita de quatro dias, encontrei-me com Gerald Foos para tomar o café da manhã no bar do lobby do hotel Embassy Suites, perto do Aeroporto Internacional de Denver.

Quando ele me localizou em uma das mesas e me chamou pelo nome, eu o reconheci principalmente pela voz — uma voz alta e familiar que eu me acostumara a ouvir pelo telefone por décadas. Afora isso, havia pouca semelhança entre o homem idoso que vi andando em minha direção e o Gerald Foos que havia visto pela última vez em 1980.

Naquela época, em seus quarenta e poucos anos de idade, era um indivíduo vigoroso e entroncado, que media cerca de 1,80 metro, pesava noventa quilos, não usava barba e tinha uma cabeça cheia de cabelos pretos. Agora, enquanto se aproximava lentamente com a mão direita estendida, carregava uma bengala e era um senhor idoso, de cabelos grisalhos escassos, bigode e cavanhaque. Sobre seu peito maciço estava um casaco de tweed cinza de ombros largos firmemente abotoado e, debaixo dele, uma camisa esporte cor de laranja, calças pretas e mocassins.

Seus olhos castanhos estavam protegidos por óculos escuros que, como explicou mais tarde, foram receitados para sua miopia. Admitiu também que sua altura diminuíra para 1,75 metro e seu peso aumentara para quase 110 quilos.

"Mas me sinto bem", disse depois que apertamos as mãos e sentamos para examinar o cardápio. Então ele ergueu os olhos e, apontando a bengala em minha direção, disse: "Vejo que você continua elegante como sempre". Com um sorriso, acrescentou: "A gravata de seda que está usando é a mesma que escorregou através das lâminas naquela noite em que esteve comigo no sótão?". Assegurei-lhe que era uma gravata diferente, mas nossa conversa foi interrompida pela chegada de Anita, sua esposa, que se desculpou por estar atrasada devido à dificuldade de achar lugar para estacionar.

Dezoito anos mais jovem do que Gerald, Anita era como ele a havia descrito em suas cartas. Era uma mulher baixa, tranquila e atenta que media 1,62 metro e tinha cabelos ruivos crespos, olhos verdes e uma figura voluptuosa digna de nota, embora preferisse trajes modestos. Usava um vestido florido abotoado no pescoço e, depois de sua saudação inicial, ficou em silêncio durante todo o café da manhã, enquanto o marido loquaz traçava nosso itinerário.

"Depois que sairmos daqui", disse ele, "gostaria de levá-lo à nossa casa para que possa ver minha coleção de objetos de esportes no porão — mais de 2 milhões de figurinhas de esportes que Anita organizou em ordem alfabética, e temos duzentas bolas de beisebol assinadas por nomes como Ruth, Gehrig, DiMaggio, Williams, Mantle e assim por diante, inclusive uma rara assinada por 'J. Honus Wagner'. Seu nome 'Johannes' nunca mais foi usado depois que ele se tornou famoso como 'Honus', mas eu tenho essa 'J. Honus Wagner' do início do século XX que vinha em maços de cigarros Piedmont até que Wagner, que não fumava cigarros, se opôs a isso. Então essas figurinhas são tão raras, como costumo dizer, quanto os antigos capacetes de couro de futebol americano que Sammy Baugh costumava usar, e eu também usava na escola. E tenho tacos de Walter Hagen, que ele usou em 1928 para ganhar o British Open..."

Ele passou a explicar que uma das razões pelas quais está agora disposto a revelar-se como voyeur é que também pode ter a chance de chamar a atenção da mídia para sua coleção de esportes, que disse valer muitos milhões de dólares e que ele queria muito vender, junto com sua grande casa, com muitos degraus que seus joelhos artríticos não podem subir sem muita dor.

"Darei minha casa por uma ninharia para quem comprar minha coleção", disse ele. Seu sonho atual é morar numa casa térrea, sem degraus.

Respondi que adoraria ver sua coleção de esportes, mas lembrei-lhe que viera de avião para entrevistá-lo *on the record* sobre sua carreira no sótão, e que nós dois já havíamos concordado que deveríamos tentar saber mais sobre o assassinato da namorada do traficante de drogas no quarto 10 do Manor House Motel, em 1977.

Com efeito, em meados de março — pelo menos três semanas antes do meu voo para Denver —, eu telefonara a Gerald Foos para informá-lo de que, sem mencionar seu nome como testemunha, pretendia entrar em contato com o Departamento de Polícia de Aurora e saber se tinham alguma informação nova sobre a morte de uma jovem no Manor House Motel, na noite de 10 de novembro de 1977.

Foos não se opôs a isso porque havia muito tempo que lamentava sua negligência naquela noite e acreditava que, ao revelar a história e admitir suas falhas, poderia obter o que os católicos procuram quando confessam seus pecados. Disse que esperava alcançar algum tipo de "redenção", especialmente se sua confissão reavivasse o interesse público pelo crime e acabasse por levar o assassino à justiça — se ainda estivesse vivo.

Mas o Departamento de Polícia de Aurora me respondeu imediatamente que não tinha informações sobre esse crime de quase quarenta anos antes, e durante nosso café da manhã mostrei a Gerald Foos cópias das cartas que recebera recentemente. Uma delas era do chefe de divisão Ken Murphy, que escreveu: "Infelizmente, não conseguimos encontrar qualquer morte/homicídio que corresponda aos seus critérios. Encontramos apenas um homicídio em novembro de 1977, mas ocorreu a cerca de três quilômetros de distância do Manor House Motel". Esse assassinato, que permanece sem solução, foi de uma mulher latino-americana de 28 anos chamada Irene Cruz. Ela foi encontrada estrangulada na manhã de 3 de novembro por funcionários da limpeza em um quarto do Bean Hotel, em Denver.

A outra carta, do tenente Paul O'Keefe da unidade de homicídio, dizia: "Verifiquei pessoalmente a página da internet do Arquivo Morto do Departamento de Investigações do Colorado, bem como nossa própria lista interna de casos ativos, e não encontrei nada que corresponda às informações que o senhor forneceu. Uma revisão dos registros do Departamento de Polícia de Aurora também foi feita uma semana antes e outra depois da data indicada em sua carta, e não encontramos nenhum homicídio relatado (resolvido ou não resolvido) durante esse período".

O tenente O'Keefe recomendou que eu consultasse os departamentos médicos legais dos dois condados — Adams e Arapahoe —, que poderiam ter recolhido o corpo de uma mulher morta na cidade de Aurora, mas nenhum deles tinha qualquer informação, nem a terceira fonte que consultei sobre estatísticas e registros vitais: o Departamento Estadual de Saúde Pública e Meio Ambiente do Colorado. Este último nem sequer levaria em consideração meu pedido de informação, explicando que apenas membros da família do falecido têm acesso a registros de morte. Por telefone, dois policiais disseram que não seria incomum a ausência de documentação num assassinato como o que descrevi; a identidade da vítima era desconhecida e o crime ocorreu antes dos departamentos de polícia utilizarem registros eletrônicos.

É também possível que Foos tenha cometido um erro em suas anotações, ou transcrito a data do assassinato de forma imprecisa quando copiou a anotação original de seu diário para um formato diferente. Ao longo dos anos, ao me aprofundar na história de Foos, encontrei várias incoerências, principalmente em relação a datas, que puseram sua confiabilidade em xeque.

Mencionei a Gerald Foos que tinha contado com a cooperação do departamento de notícias do *Denver Post*, mas não havia nada no arquivo de obituários de 1977 do jornal que nos fornecesse uma pista.

"Parece que aquela garota simplesmente desapareceu", disse ele, mas acrescentou que isso talvez não o exonerasse das consequências legais. Ao admitir publicamente que vira o traficante de drogas matar a mulher e não fizera nada para impedi-lo, "eu poderia ser cúmplice de um crime. Seria um caso sério, porque não chamei a polícia na ocasião. Poderia ser condenado por acusações de homicídio em segundo grau. Quem sabe? Um advogado me contou que existe uma lei chamada 'circum-navegação', que permite aos tribunais fazer um monte de coisas. Foi posta em prática por causa de criminosos sexuais, como padres que atacaram crianças há muito tempo, e ao 'circum-navegar' é possível fazer parecer que isso aconteceu na noite passada".

Contudo, continuou Foos, depois de anos de relutância, estava disposto agora a admitir a verdade. "A vida envolve riscos", disse ele, "mas não podemos nos preocupar com isso. Nós apenas dizemos a verdade." Com a bengala, apontou para algumas câmeras de vídeo que estavam posicionadas acima de nossas cabeças dentro do átrio do hotel, um vasto espaço aberto de seis andares de altura que refletia o movimento de dois elevadores com laterais de vidro polido.

"Notei câmeras postadas no telhado quando entrei, e outras acima da recepção e em todos os outros lugares para onde você olhar", disse Gerald Foos, repetindo sua queixa sobre o voyeurismo generalizado que já havia mencionado em cartas. Era evidentemente irônico que justo ele, entre todas as pessoas, se ofendesse por ser vigiado; mas, em vez de debater a questão ali, onde um garçom retirava os pratos do café da manhã, decidi adiar nossa discussão até que tivéssemos nossa prometida entrevista *on the record* em sua casa.

32.

Enquanto estávamos na calçada em frente ao hotel, à espera de Anita que trazia o carro, ele apontou novamente para uma câmera pendurada, mas conteve o comentário ao notar que havia um porteiro por perto, observando-o.

Sentada ao volante do Ford Escape azul de quatro portas, Anita esperou enquanto seu marido espremia seu grande corpo no banco do passageiro e eu me instalava no assento traseiro, e logo seguimos para o norte por estradas de pouco movimento ladeadas por campos de milho e de trigo e extensões de terras não cultivadas que Gerald disse pertencerem a especuladores e que às vezes eram invadidas por pumas, ursos, gambás e texugos, enquanto gansos canadenses que vinham do norte voavam no céu.

Virado para trás em seu assento, Gerald chamou minha atenção para outras coisas que lhe interessavam, como o lago onde ele e Anita iam pescar com frequência e o posto Valero, onde abasteciam o carro e Anita conhecia o gerente ("ele é do Nepal"). Depois seguimos em direção ao lugar onde o casal morava — uma comunidade tranquila de ruas perfeitamente pavimentadas, gramados bem cuidados, ruas sem saída, fileiras de abetos azuis e residências de luxo cujo design uniforme tornou difícil para Gerald e Anita encontrar sua própria casa quando a compraram, depois de terem ido a uma imobiliária a três quilômetros de distância para assinar a escritura.

"No caminho de volta, passamos horas circulando por este lugar procurando nossa casa", lembrou Gerald. "Ficamos perdidos nessas ruas sem saída. Finalmente, vimos um sujeito na rua e gritei para ele: 'Ei, nós compramos uma casa por aqui, mas não conseguimos encontrá-la'. Ele disse: 'Ah, isso também aconteceu comigo. Muitas destas casas novas parecem iguais'. Eu não tinha um GPS naquela época, mas tinha o endereço, e o sujeito nos indicou o caminho."

Anita fez uma pausa antes de parar o carro na entrada da garagem de uma grande casa moderna, verde com adornos brancos e revestimento de pedra, e abetos na frente. Gerald clicou no controle remoto que abriu a porta de uma garagem para três carros, na qual estava estacionado um Ford Fusion sedã branco, e em cujas paredes via-se pendurado um arranjo organizado de ferramentas de uso doméstico, varas de pesca, uma cabeça de veado empalhada e o arco e flecha com o qual Gerald disse que abatera o animal numa expedição de caça realizada anos antes.

Ao entrarmos na casa por uma porta lateral na garagem, Gerald pediu a Anita que desligasse os alarmes e os feixes de laser do porão, onde me disse que estava sua coleção de esportes avaliada em 15 milhões de dólares. Depois de atravessarmos a sala de jantar, chegamos a uma grande sala de estar com móveis de mogno, uma televisão de oitenta polegadas e várias estantes altas ao longo das paredes, que continham algumas das oitenta bonecas que ele e Anita havia colecionado durante os seus quase trinta anos de casamento. Lembro-me de ter lido em suas anotações a descrição de sua atração pelas bonecas que via no quarto de sua tia Katheryn e como sua mãe desviou seu interesse das bonecas para a coleção de figurinhas de beisebol; mas ocorreu-me que, depois de seu casamento com Anita, ela serviu de desculpa para ele voltar às bonecas e adquirir alguns daqueles modelos que eu estava vendo agora nas estantes da sala de estar e no resto da casa.

Quando eu estava ao seu lado, ele retirou de uma prateleira de vidro uma boneca ruiva, de olhos verdes, com um vestido de renda branca e sapatos brancos, e contou: "Anita e eu estávamos na Flórida; tinha uma foto de Anita quando ela era muito jovem, e eles fizeram esta boneca a partir daquela foto". Continuou a explicar: "Cada uma dessas bonecas que você vê é totalmente de porcelana, dos pés à cabeça, tudo", e então pegou uma bela boneca de cabelos loiros e olhos azuis, de cerca de um metro de altura, e disse que era um produto único desenhado pelo fabricante da boneca alemã Hildegard Günzel, conhecido pelos colecionadores de todo o mundo. "Pagamos mais de 10 mil dólares nesta", disse ele.

A meu pedido, ele apontou algumas fotos de sua tia Katheryn que estavam entre as fotos emolduradas de membros da família penduradas nas paredes. Em uma delas, ela aparece de pé num curral, com as mãos nos quadris, sorrindo para a câmera.

Embora usasse calças largas e uma blusa de renda frouxa, os contornos de seu corpo curvilíneo eram bastante evidentes. Perto dessa fotografia via-se também uma foto de Gerald como garoto de fazenda, segurando seu cachorro perto da janela do quarto de sua tia. Além disso, havia fotos de seus pais, Natalie e Jake, diante da recepção do Manor House Motel, e de Gerald e Anita no saguão do Waldorf Astoria, de férias em Nova York em 1991.

No andar de cima, penduradas nas paredes de seu escritório, estavam as placas de alguns dos automóveis que ele costumava dirigir — seus Cadillacs, Lincolns, Thunderbirds. Em um canto do escritório, ao lado de sua escrivaninha, encontrava-se sua coleção de armas — vários rifles, espingardas e armas infantis de ar comprimido; e numa prateleira próxima havia duas Lugers alemãs que ele alegou ter conseguido de um coronel americano que as tirara da casa do comandante nazista Hermann Göring. Havia também uma espada com bainha japonesa, que Gerald disse ter adquirido de uma família que estava vendendo seus pertences.

Em um quarto de hóspedes ao lado do escritório, havia mais bonecas de porcelana de Anita, um carrinho de boneca, vários de seus bichos de pelúcia Avanti e dezenas de estatuetas de vidro representando gatos e outros animais — um zoológico frequentado ocasionalmente pelos dois gatos de estimação de Anita. Todas as mulheres com que Gerald Foos se relacionara eram colecionadoras, disse ele, acrescentando que sua primeira esposa, Donna, tinha uma grande coleção de selos e "chegou a pagar mil dólares por um selo". Os interesses de Anita não se restringiam a bonecas, continuou ele, mas incluíam uma coleção de moedas, bem como um acúmulo de garrafas de vinho da Velvet Colection do Vale do Napa com imagens de Marilyn Monroe.

Depois que o casal tinha vendido os motéis, Anita dedicou grande parte de seu tempo livre para organizar em ordem alfabética os milhões de figurinhas de esportes (que iam desde uma com a foto de Troy Aikman, o ex-*quarterback* do Dallas Cowboys, até a de Chris Zorich, um antigo atacante dos Chicago Bears) — um "ato de trabalho e amor" da parte dela que Gerald orgulhosamente mostrou para mim quando descemos ao porão.

Algumas das figurinhas de esportes estavam dentro das centenas de álbuns de fotos colocados lado a lado nas várias fileiras de estantes que cobriam as quatro paredes do porão, que tinha um teto de três metros de altura e uma área de 23 por 12 metros.

Além das figurinhas guardadas nos álbuns de fotografias, havia centenas de outras exibidas individualmente dentro de pequenos quadros de acrílico, que estavam nas muitas vitrines de exposição da sala.

Enquanto Gerald Foos me conduzia lentamente entre as vitrines, às vezes fazia uma pausa, pegava uma determinada figura e fazia comentários sobre ela.

"Eis uma figurinha da estreia de Michael Jordan", disse Gerald, acrescentando que a havia comprado em um mercado das pulgas anos atrás por vinte dólares de um comerciante mal informado. Pegou, então, uma figurinha que mostrava o jogador de beisebol Alex Rodriguez e admitiu que ela havia perdido valor nos últimos anos. "Eis um sujeito — desculpe minha linguagem — que me deixa puto, porque, se tivesse ficado longe dos esteroides, teria sido provavelmente o maior jogador do mundo."

Depois de erguer e elogiar a figurinha de Hank Aaron, a de Jackie Robinson, a do *running back* Barry Sanders, do Hall da Fama dos Detroit Lions, que jogou durante os anos 1990, pegou uma que tinha vindo com uma caixa de confeitos Cracker Jack que representava Honus Wagner, o *shortstop* dos Pittsburgh Pirates do início do século XX. Em um canto da sala havia dezenas de capacetes de futebol americano autografados por astros da National Football League (NFL) — Joe Montana, Jim Brown, Len Dawson —, e no outro lado da sala, enfileiradas em quatro prateleiras de madeira, estavam duzentas bolas de beisebol autografadas, que Gerald disse valerem mais do que seu peso em ouro. Entre as assinaturas estavam as de Joe DiMaggio, Ted Williams, Barry Bonds, Mickey Mantle, Hank Aaron e Pete Rose ("Ele deveria estar no Hall da Fama"). Cada bola estava apoiada em um pequeno estrado de madeira com uma placa de latão que exibia o nome do jogador que assinara a bola, e cada bola estava coberta por um globo de plástico um pouco maior do que a bola, que a protegia de impressões digitais e outras marcas.

Empilhadas cuidadosamente em prateleiras acima das fileiras de bolas de beisebol viam-se dezenas de caixas do cereal Wheaties, cujas embalagens traziam cada uma a figura de um atleta famoso, entre eles John Elway, dos Denver Broncos, Roberto Clemente, dos Pittsburgh Pirates, e Jerry Rice, dos San Francisco 49ers. Algumas dessas caixas de cereais fechadas, tal como aquela com Lou Gehrig, tinham décadas.

"Deve haver gerações de vermes vivendo em algumas dessas caixas", disse eu.

"Sim, e isso as torna mais valiosas," respondeu Gerald, com um sorriso.

33.

No andar de cima, sentado do outro lado da sala de estar, Gerald respondeu a algumas perguntas.

"Como você gostaria de ser descrito na imprensa depois que sua história se tornar pública?", perguntei.

"Espero não ser descrito somente como algum tipo de pervertido ou bisbilhoteiro", respondeu. "Penso em mim como um 'pesquisador pioneiro do sexo'." Disse que se sentia qualificado para ser chamado de pioneiro porque havia observado e escrito sobre milhares de pessoas que nunca perceberam que estavam sendo observadas e, portanto, sua pesquisa era mais "autêntica e fiel à vida" do que, por exemplo, o material proveniente do Instituto Masters & Johnson, onde os resultados se basearam em participantes voluntários.

"Por que, no *Diário do Voyeur*, você alterna tantas vezes entre a primeira e terceira pessoa?"

"Porque achava que eu era indivíduos diferentes", disse ele. "Quando estava lá embaixo, na recepção, eu era Gerald, o homem de negócios. Quando estava lá em cima, na plataforma de observação, eu era Gerald, o Voyeur."

"Você pensou alguma vez em filmar ou gravar seus hóspedes?"

"Não", ele disse, explicando que, se fosse apanhado com esse tipo de equipamento, seria facilmente incriminado. Além do mais, usá-lo era impraticável. Com frequência, havia longos períodos de tempo em que não acontecia o suficiente nos quartos para justificar o uso de uma câmera ou um gravador no sótão. De qualquer modo, ele nunca pensou em usar esses equipamentos.

Mais tarde, perguntei a Foos se tinha ouvido falar de Erin Andrews, a jornalista esportiva de televisão que foi secretamente filmada saindo do chuveiro num quarto de hotel por um assediador que havia alterado o olho mágico de sua porta. O homem, que depois postou na internet cenas de Andrews nua, foi condenado a trinta meses de prisão. Andrews processou o homem e o hotel, exigindo 75 milhões de dólares em danos para compensar o "horror, a vergonha e a humilhação" que sofreu. Em fevereiro de 2016, um juiz concedeu-lhe 55 milhões.

Foos tinha acompanhado o caso no noticiário; sua opinião não me surpreendeu. "Embora eu tenha dito que, em sua maioria, os homens são voyeurs, existem alguns voyeurs — como esse cafajeste no caso da Fox Sports — que são absolutamente desprezíveis", disse ele. "De mais a mais, ele é um produto da nova tecnologia, que expõe sua presa na internet e faz algo que não tem nada em comum com o que eu fiz. Não expus ninguém. O que esse cara fez foi cruel e vingativo. Se eu fosse membro do júri, não hesitaria em votar pela condenação."

De volta à sala de estar, Foos acrescentou: "Lá em cima, eu só precisava de muita paciência e da capacidade de descrever em meu *Diário do Voyeur* as situações e tendências que eu via lá embaixo".

Ele lembrou que uma das primeiras tendências da revolução sexual da década de 1970 que ficou evidente no Manor House

Motel foi quando os casais começaram a despir um ao outro, em vez de trocarem de roupa no banheiro ou com as luzes apagadas, como era costume nos anos anteriores. Outro sinal de liberação dos anos 1970 foi o aumento da participação de seus hóspedes em sexo grupal, inter-racial e homossexual: "As pessoas começaram a ser mais livres umas com as outras, as relações sexuais pareciam estar mais descontraídas e as mulheres começaram a dizer aos homens o que queriam, sendo mais abertas e menos tímidas a respeito disso".

Foos contou que também ficou fisicamente receptivo, explicando: "Lá em cima, tornei-me sexualmente mais animado — qualquer homem ficaria, qualquer mulher ficaria — e, em consequência, eu descia e fazia um sexo ótimo com Anita. Nós sempre tivemos um sexo ótimo", disse ele, acenando com a cabeça para Anita, que estava por perto. Depois de uma pausa, ela acenou de volta.

Ele admitiu que aprendeu muito sobre sexo com suas esposas, primeiro com Donna e depois ainda mais com Anita. Ressaltou que, embora fosse um observador obsessivo, conhecera poucas mulheres intimamente além delas. Solteiro na Marinha durante quatro anos, fora seduzido algumas vezes por garotas de programa, e durante seu casamento de vinte anos com Donna tinha sido fiel até o último ano, quando teve o breve romance com a relações-públicas de Denver. E era fiel nos quase trinta anos de casamento com Anita, acrescentando que o que fazia dela uma parceira compatível, além de sua natureza amorosa, era ser "visual". Com isso, queria dizer que, ao contrário da maioria das mulheres, Anita gostava de assistir a outras pessoas fazendo sexo e também se deleitava vendo filmes pornôs. A maioria das mulheres preferia mais ser observada do que assistir aos outros, disse ele, o que talvez explicasse, em parte, por que os homens gastavam fortunas em pornografia e as mulheres, em cosméticos.

“Apenas 10% das mulheres são voyeuses”, disse ele, “enquanto quase 100% dos homens são voyeurs.” Anita estava entre os 10%, segundo ele.

“Isso é verdade?”, perguntei a ela.

“Sim”, ela respondeu com voz suave.

“Sim”, ele disse, e passou a explicar: “Não estou dizendo que outras mulheres não se excitam com materiais eróticos. Só estou dizendo que os homens são muito mais visuais e que as mulheres são mais propensas a se excitarem sexualmente lendo um material erótico em um livro”. Comentou ter observado muitas hóspedes do sexo feminino no Manor House segurando um livro com uma das mãos e se masturbando com a outra.

“Tendo em vista que você passou metade da sua vida invadindo a privacidade, por que é tão crítico do governo por invadir nossa privacidade com o objetivo de rastrear terroristas e outros criminosos?”, perguntei.

“Não gosto de criticar o governo — é o único que temos, e todos podem cometer erros”, disse ele, “mas acho que cometemos erros demais. O voyeurismo do governo está saindo da toca. O Big Brother incorporou nossas vidas, nossas opiniões, nossos processos de pensamento — somos todos gravados eletronicamente em dispositivos que poucos de nós entendemos. Só sabemos que estão lá. Contei vinte câmeras de vídeo em seu hotel Embassy Suites esta manhã. Não existe qualquer justificativa para esse grau de voyeurismo no Embassy Suites.” E repetiu o que me dissera muitas vezes no passado: o voyeurismo no Manor House era “inofensivo”, porque os hóspedes não sabiam dele e seu propósito nunca fora armar uma cilada, prender ou criminalizar alguém. Mas sugeriu que o voyeurismo efetuado pelo governo que conhecemos hoje é essencialmente um jogo de coleta de provas; e quem se opõe ativamente a essa tecnologia invasiva neste momento, neste período de excesso de proteção pós-Onze de Setembro, pode ser visto como antipatriota ou mesmo traidor.

"As pessoas no poder querem o status quo", disse ele, e essas pessoas não querem ser expostas como desonestas e hipócritas — exatamente o que Edward J. Snowden, o ex-contratado da Agência de Segurança Nacional, conseguiu fazer ao divulgar documentos que revelavam, por exemplo, que as agências de inteligência dos Estados Unidos estavam grampeando até mesmo o telefone celular de sua aliada na Alemanha, a chanceler Angela Merkel.

"Na minha opinião, Edward Snowden é um delator", disse Gerald Foos. Em vez de ser obrigado a se exilar na Rússia e ser considerado por muita gente culpado de traição, ele deveria ser elogiado "por denunciar coisas que estão erradas em nossa sociedade".

"Você também não alega estar expondo erros de nossa sociedade quando compartilha conosco o que descreveu no *Diário do Voyeur*?"

"Sim. E também me considero um delator."

"E o que você conclui de tudo o que testemunhou?"

"Que simplesmente não se pode confiar nas pessoas", disse ele. "A maioria mente, trapaceia e engana. Há muitos, muitos exemplos disso no *Diário do Voyeur*, como todas aquelas pessoas que não passaram no 'teste de honestidade', e pregavam uma coisa e faziam outra. O que revelam sobre si mesmos em particular tentam esconder em público. O que tentam mostrar em público *não* é o que realmente são — e saber disso me deixou muito cético em relação às pessoas em geral. Na verdade, devido ao que fiquei sabendo na plataforma de observação, sou agora antissocial. Simplesmente não confio muito nas pessoas e, se puder, eu as evito."

E continuou: "Mesmo agora, anos depois de ter vendido os motéis, tento ficar longe das pessoas. Não existe ninguém que eu considere vizinho. Anita e eu tentamos ficar longe de nossos vizinhos. Podemos cumprimentá-los, mas mantemos nossa distância. Quando saímos para jantar, é só nós dois. Do contrário, sou um solitário".

"Mas você certa vez descreveu *a si mesmo* como duas pessoas", eu o relembrei. "Na recepção do motel, você disse que era Gerald, o homem de negócios. No sótão, você era Gerald, o Voyeur. Bem, quem é o responsável por não telefonar para uma ambulância quando aquela mulher estava estrangulada no chão do quarto 10, na noite de 10 de novembro de 1977?"

"Se eu soubesse que essa senhora estava morrendo, teria chamado uma ambulância imediatamente", disse ele. "Teria dito que estava passando pela janela e ouvi um grito, ou algo parecido. Claro, não diria que tinha visto da plataforma de observação. Teria dito que vira através de uma fresta na cortina."

Reconheceu que essa não era certamente a primeira vez que ele ficara sem ação enquanto testemunhava cenas horríveis em seu motel. Já vira exemplos de estupro, roubo, abuso infantil, incesto e, uma vez, assistira em silêncio enquanto um cafetão pressionava uma faca na garganta de uma prostituta até que ela concordasse em entregar o dinheiro que era acusada de esconder. O diário de Gerald mencionara uma vez em que ele tinha telefonado à polícia para denunciar o tráfico de drogas em seu motel, mas nenhuma medida foi tomada devido à sua relutância em cooperar plenamente como testemunha.

Ele detestava traficantes de drogas, em parte porque temia que suas atividades atraíssem policiais dos narcóticos para o hotel, mas era especialmente sensível aos efeitos nocivos do uso de drogas depois da prisão de seu filho Mark. Embora fosse uma causa perdida, Gerald disse que, em 2012, votou contra a legalização da maconha no Colorado.

"Aquele traficante de drogas de 1977 estava vendendo drogas no quarto 10 para alguns estudantes jovens, e um deles parecia não ter mais de doze anos", lembrou Gerald. "De qualquer modo, quando esse traficante saiu do quarto com a namorada, fiz o que já havia feito antes com traficantes — joguei as drogas no vaso sanitário. Ora, quando ele volta naquela noite e não consegue encontrar as drogas — ele as tinha escondido num saco dentro do sistema de registro na parede, depois de retirar os parafusos —, começa a discutir com a namorada.

"'Quem esteve aqui?', ele começa a gritar, e então põe a culpa nela, bate nela, e ela chora: 'Sou sua namorada, me solta'.

"Ele continuou batendo nela, cada vez com mais força, e quando ela o chutou na virilha ele ficou realmente furioso e começou a estrangulá-la. Logo ela desabou no chão, bem na frente do respiradouro. Fiquei olhando diretamente para ela, ali no chão, e dizia baixinho: 'Não se mexa, não se mexa, ele pode estrangulá-la de novo'.

"Antes de sair do motel, ele pegou algumas das coisas dela no chão e levou dinheiro e cartões de crédito. 'Não se mexa', eu continuava dizendo a ela. Ele então se virou, abriu a porta e foi embora. Fiquei observando lá de cima e achei que ela estava respirando, mas estava completamente imóvel. Seus olhos estavam fechados, mas juro que vi seu peito se movendo e pensei, 'Bem, ela está o.k.'.

"Saí da plataforma de observação e não voltei naquela noite; desci para a recepção. Mais tarde, quando Donna voltou do turno da noite no hospital, contei-lhe o que tinha acontecido. Ela perguntou: 'Então, você viu o peito subindo e descendo?'. 'Sim.' 'Bem, é provável que ela esteja apenas inconsciente, ou algo parecido. Sabe, ela vai voltar a si e tudo vai ficar bem.' E eu disse: 'Bom, espero que sim'. Era muito tarde e me lembro de Donna repetindo: 'De manhã, ela provavelmente estará bem. Nós não diremos nada, nem ela. Sabe como é, a vida é dela, e é assim que as coisas são'. Donna continuou: 'Chega gente no hospital o tempo todo; elas foram estranguladas pelos maridos, ou levaram um tiro na cabeça, é terrível e...'"

Ele fez uma pausa e continuou: "Na manhã seguinte, a camareira veio trabalhar e eu a observei quando ela foi para os quartos. Logo ela chegou àquele quarto, o 10, abriu a porta e entrou. De repente saiu correndo, e pensei: 'Ah, não!'. Eu sabia o que ela ia me dizer, e ela disse: 'Gerald, acho que a senhora do número 10 está morta'. Eu perguntei: 'Como você sabe?'. 'Ela não está respirando.' Eu perguntei: 'Onde ela está?'. 'No chão.' Ah, não! Ela estava deitada assim quando a vi pela última vez".

"Chamei Donna", ele continuou: 'Vai até lá e dá uma olhada nela.' Donna fez isso e logo voltou, caminhando muito rápido, e pensei: Ah, meu Deus, não me conte — o coração não está batendo. E Donna entrou e falou: 'Ela está morta, Gerald, ela está morta'. Eu disse: 'O.k., temos de chamar a polícia. A única coisa que podemos fazer é chamar a polícia'.

"A polícia veio, e então tivemos de esperar até que o legista chegasse, o que levou uma ou duas horas. A polícia ficou andando em círculos, à espera do médico-legista; eles têm de ficar de guarda junto ao corpo. Então o legista aparece em seu pequeno furgão com um ajudante, eles cobrem o corpo e o carregam no carro e lá vão eles para uma sala de autópsia, e eu estou nervoso e dizendo: 'Sabe, eu poderia ser responsável por isso'. Eu disse a Donna: 'Vi a respiração dela'. Ela disse: 'Eu sei, você me contou'."

Gerald respirou fundo e repetiu o que havia dito anteriormente: "Sim, se eu soubesse que ela estava morta, poderia ter chamado uma ambulância e explicado que estava passando pela janela e ouvi um grito... mas não foi assim que aconteceu".

34.

Depois que voltei a Nova York, continuei a me corresponder e falar periodicamente ao telefone com Gerald Foos, mas parecia que não estavam acontecendo muito mais coisas — não havia mais nada a acrescentar à sua história. Ele havia escrito a última página de seu diário. Mas, embora ele esperasse que suas confissões pudessem significar sua "redenção" e agilizar a venda de sua coleção de esportes, eu sentia que ele era movido por mais do que isso, e mesmo *isso* poderia ser um desejo ilusório de sua parte.

Como ele poderia supor que sua honestidade resultaria em algo de positivo? Ao contrário, ele poderia facilmente fornecer provas que levassem à sua detenção imediata, processos posteriores e indignação pública generalizada.

Contudo, era possível que Gerald Foos *precisasse* da notoriedade — seu ego, especialmente agora que ele estava tão consciente de sua idade avançada e de sua saúde enfraquecida, o levou a querer se tornar conhecido pelo que havia visto e escrito durante seus muitos anos de observador privado, e isso era mais atraente do que o medo de ser descoberto. De certo modo, ele era parecido com o voyeur velhaco do século XIX retratado em *The Other Victorians* do professor Steven Marcus — um indivíduo tão tomado pela ideia de exposição de si mesmo ou narcisismo que escreveu uma confissão de vários volumes chamada *Minha vida secreta*, embora sem assinar seu nome no manuscrito. Ao contrário, Gerald Foos estava revelando sua verdadeira identidade, assumindo todos os riscos, mas, embora estivesse me dando o que eu queria, eu ainda não tinha certeza sobre o que motivava Gerald Foos, que, afinal, era um mestre da enganação.

Em décadas de espionagem, nunca fora apanhado. "Graças à cautela e preocupação extremas de que o Voyeur é a personificação", escreveu Gerald, "nenhum hóspede descobriu o segredo completo das aberturas de observação. Nunca ninguém foi prejudicado ou exposto." E o que ele dizia em cartas e telefonemas não era necessariamente aquilo em que acreditava, se é que sabia em que acreditava. Era um homem de muitos estados de ânimo e atitudes; às vezes se apresentava como historiador social, outras como pioneiro da pesquisa sobre sexo, delator, solitário, alguém com personalidade dupla e um crítico decidido a denunciar as hipocrisias e apetites escondidos de seus contemporâneos.

Embora a comparação talvez seja inadequada, uma vez que ele não foi responsável por expor a corrupção de um presidente, sua sofreguidão em ser reconhecido depois de idoso lembrou a decisão de um agente do FBI aposentado chamado Mark Felt de sair do anonimato e admitir que era o famoso delator do caso Watergate conhecido como Garganta Profunda. Em um livro de memórias publicado em 1979, Felt afirmou que "nunca vazou informações para Woodward e Bernstein ou para qualquer outra pessoa!". Mas em 2005, quando estava com quase 92 anos, Felt finalmente se desmascarou. Ele e sua família tinham discutido se ele devia ou não revelar sua identidade. Um elemento decisivo, de acordo com sua filha, foi o desejo de lucrar com a revelação. De acordo com o artigo da *Vanity Fair* que revelou o segredo, ela disse ao pai: "Poderíamos pelo menos ganhar dinheiro suficiente para pagar algumas contas, como a dívida que contraí para as crianças".

No entanto, Felt tinha dúvidas a respeito de como a revelação afetaria sua reputação e, até à noite anterior, vacilou. Era pouco provável que precisasse enfrentar alguma repercussão legal por ser Garganta Profunda, embora já tivesse sido acusado em um caso sem relação com Watergate de conspirar para violar os direitos constitucionais dos americanos. Em 1972 e 1973, quando era agente do FBI, Felt autorizara invasões ilegais nas casas de nove pessoas associadas ao grupo de esquerda Weather Underground. No seu julgamento, em 1980, Richard Nixon apareceu em sua defesa; seu depoimento foi interrompido por espectadores que gritavam "mentiroso" e "criminoso de guerra". Felt foi condenado a pagar uma multa de 8500 dólares, mas alguns meses mais tarde foi perdoado por Ronald Reagan. Nixon mandou para Felt uma garrafa de champanhe com um bilhete: "Por fim, a justiça prevalece".

Que acusações, se houvesse alguma, poderiam ser feitas a Gerald Foos? Ele admitia abertamente ser um voyeur, embora acrescentasse que quase todos os homens são voyeurs. Foos insistia que jamais prejudicara algum de seus hóspedes, uma vez que nenhum deles sabia que ele os observava, e, assim, o pior que poderia ser dito é que era culpado de tentar ver demais.

Começara como um menino ajoelhado sob parapeitos de janelas e, meio século mais tarde, se aposentou de sua vida de espionagem no sótão para viver numa sociedade vigiada por câmeras de rua, drones e os olhos da Agência de Segurança Nacional.

Como voyeur, Gerald Foos era agora coisa do passado.

E o Manor House Motel também estava no passado.

35.

A família coreana que comprou o motel de Gerald e Anita Foos em 1995, e administrou o lugar sem conhecer a história por trás dos remendos de gesso de quinze por 35 centímetros que havia no centro do teto de uma dúzia de quartos, vendeu o Manor House no inverno de 2014 para uma sociedade imobiliária dirigida por um construtor de Denver de 75 anos chamado Brooke Banbury.

O sr. Banbury planejava substituir o motel por um prédio de apartamentos de muitos andares, ou por um hotel, ou talvez um edifício de consultórios médicos com um banco no térreo. Depois que adquiriu o motel, tudo que havia dentro dele e o terreno circundante por 770 mil dólares em dinheiro, os coreanos desocuparam imediatamente a recepção e as dependências em que moravam e deixaram para trás roupas e sapatos nos armários e comida na geladeira e no balcão da frente. Havia também uma pequena mala fechada com cadeado. Ao abri-la, Brooke Banbury descobriu uma submetralhadora com três pentes carregados e balas extras. A polícia foi chamada e não devolveu a arma.

A maioria dos 21 quartos do prédio principal tinha lençóis limpos nas camas, exceto cerca de meia dúzia, que tinham sido usados por hóspedes pouco antes da venda e depois que as camareiras tinham ido embora.

Mas, em torno de uma semana após a venda, quando Banbury estava no estacionamento conversando com dois funcionários municipais, um SUV Lexus entrou no estacionamento e parou numa das vagas. Um senhor asiático bem-vestido desceu do veículo e caminhou em direção à porta de um dos quartos, presumivelmente de posse de uma chave.

Interrompido pela voz alta de Banbury, que declarou que o motel havia fechado, o homem voltou calmamente ao carro e partiu. Poucos minutos depois, um segundo carro chegou e estacionou no mesmo lugar. Dessa vez, duas jovens asiáticas desceram e estavam prestes a bater na porta, mas rapidamente recuaram ao ouvir Banbury chamá-las e fazer um sinal para que fossem embora. Depois de lançarem um olhar zombeteiro para Banbury, as duas mulheres viraram uma para a outra e riram enquanto se afastavam.

Mary Jo, esposa de Banbury, pretendia doar os objetos do motel — camas, cômodas, lâmpadas, lençóis e tudo o mais — para uma das instituições de caridade ou agências de assistência social do lugar; mas todas recusaram, explicando que não tinham espaço para armazenar um volume tão grande de coisas ou não tinham número suficiente de funcionários e veículos para coletá-las. Então seu marido contratou uma equipe de demolição por cerca de 30 mil dólares para pôr tudo abaixo e levar o entulho embora.

Isso foi feito em cerca de duas semanas, deixando um lote de terra plana, de trinta por 85 metros, coberto com terra e pequenos pedaços de pedra e lascas de madeira, misturados com ervas daninhas, trepadeiras e pedaços de fiação elétrica, todo fechado por uma cerca de arame — exatamente como a propriedade estava quatro meses depois, quando Gerald e Anita Foos o visitaram, perto do final do verão de 2015.

Uma vez que sua casa nos subúrbios de Denver se situa a vários quilômetros de Aurora e eles não haviam passado recentemente por sua antiga propriedade na East Colfax Avenue, ficaram sabendo com muito atraso da venda e demolição do Manor House Motel.

Havia lágrimas nos olhos de Anita quando ela estacionou o carro do casal em uma rua lateral que margeava a cerca. Por alguns momentos, ela e Gerald, que estava no banco do passageiro, olharam em silêncio pelas janelas do carro para a cerca de arame em torno daquele quarto de hectare de espaço vazio.

"Parece que tudo acabou", disse finalmente Gerald, que abriu a porta do carro e, com a ajuda da bengala, subiu no meio-fio. Era uma tarde quente de domingo, não havia pedestres e pouquíssimos motoristas subiam ou desciam a East Colfax Avenue. Depois de esperar que Anita se juntasse a ele, o casal se dirigiu de braços dados ao portão da frente, que estava aberto. Não havia nenhum guarda de plantão, nenhuma placa de advertência, nenhuma câmera de segurança em evidência, mas antes de passar pelo portão Gerald olhou para a esquerda e para a direita a fim de certificar-se de que ninguém pudesse vê-lo invadir o terreno.

"Espero que possamos encontrar alguma coisa para levar para casa", disse, enquanto ele e Anita entravam na área e começavam a caminhar com a cabeça baixa, procurando por uma ou duas lembranças que pudessem ser acrescentadas à coleção de Gerald no porão — talvez uma maçaneta, ou um número de quarto, ou algum outro pequeno objeto identificável.

Mas a equipe de demolição tinha transformado tudo em pó, impossível de identificar, com exceção de alguns pedaços de pedra pintada de verde que cobriam a calçada ao longo da área de estacionamento (Gerald as havia pintado sozinho e escolheu dois pedaços para pôr no porta-malas do carro), e também um pedaço do fio que se conectava à placa luminosa que anunciava o nome do motel.

"Foi aqui que nos conhecemos", disse Gerald, referindo-se a uma tarde de 1983, quando estava em cima de uma escada trocando o letreiro, e cumprimentou Anita, que passeava pela calçada puxando um vagonete onde estavam seus filhos pequenos.

"Você também pediu meu número de telefone", ela lembrou.

"Sim", disse ele, e acrescentou: "É ruim demais que não tenhamos vindo aqui antes, quando começaram a destruir este lugar. Poderíamos ter conseguido um pedaço daquela placa".

Caminharam lentamente pelo lote por mais quinze minutos, mantendo a cabeça baixa, mas não encontraram mais nada que interessasse.

Ambos usavam roupa escura — Anita, um vestido estampado de preto e sapatos de salto baixo, Gerald, um terno preto, camisa branca e gravata de seda cinza. Nenhum dos dois usava chapéu; Gerald estava suando e se queixando de cansaço.

"Vamos embora para casa", disse Anita.

"Vamos", ele concordou, e virou-se, tomando-a pelo braço e voltando em direção ao portão. "Já vi o suficiente."

Posfácio

Gay Talese, a arte da não ficção n. 2

Entrevista realizada por Katie Roiphe publicada na edição n. 189, do verão de 2009, na revista literária *Paris Review*

Para chegar ao escritório de Gay Talese é preciso sair de sua casa geminada no Upper East Side e descer uma escada elegantemente encaracolada até uma outra entrada, com outro molho de chaves, e descer ainda outro lance de degraus. O bunker, como ele o chama, é uma sala comprida e estreita, maior do que muitos apartamentos de Manhattan, com um banheiro com ducha, cozinha, vários sofás, duas escrivaninhas, uma mesa e cadeiras. Porém, não se perde a sensação de estar no subsolo. Tem-se também a sensação inconfundível de estar dentro de sua mente.

Prateleiras cheias de caixas e mais caixas de pastas vão até o teto. Cada caixa é enfeitada com uma colagem: fotografias de jornais e revistas, palavras recortadas, desenhos, cartuns. As pastas contêm anotações para todos os livros e artigos de Talese, recortes, esboços, cartas. As colagens dão às caixas de papelão uma aparência extravagante, infantil, chamativa; há uma alegria neste lugar que a maioria de nós não consegue atingir na organização de arquivos.

Espalhados sobre uma das escrivaninhas encontram-se saquinhos de plástico para sanduíche cheios de fotos e etiquetas meticulosamente datilografadas com nomes e datas. Esparramadas pelo chão veem-se mais fotografias de sua glamorosa esposa, Nan, e de amigos do casal, tiradas ao longo dos cinquenta anos de casamento. Talese está começando a classificar essas fotografias para um novo livro, a história de seu casamento, e a bagunça faz parte do vasto projeto organizacional que marca o início de sua pesquisa. Poucos escritores pesquisam com tanta minúcia e entusiasmo quanto Talese, que dedica a cada livro nove ou dez anos de sua vida. Ele tem registros de todos os dias — onde estava, quem viu e como se sentia. As fotografias serão relacionadas a essas notas e colocadas em pastas, organizadas por ano. Como se pode deduzir das colagens que decoram as caixas de pastas, os registros são mais do que caixas de anotações; são o próprio ato criativo.

Todas as vezes que nos encontramos, no início da tarde, depois de ter subido do bunker, Talese está sempre bem-vestido. Veste-se tão bem que estranhos conversam com ele na rua, e garçons e recepcionistas de restaurantes querem lhe fazer favores, como encontrar um lugar especial para seu chapéu. O pai de Talese era alfaiate, sua mãe tinha uma loja de roupas bem-sucedida, e ele diz que sua primeira ideia de como ser especial foi por meio da roupa. Quem faz seus ternos é um alfaiate de Paris, cujo pai ensinou a profissão ao pai de Talese. Quando me conta que às vezes vai à academia no período da tarde, sou tentada, por um momento, a perguntar o que ele veste nessas ocasiões, mas não quero confundir ou complicar a imagem dele — terno sob medida, colete, lenço no bolso, camisa colorida com colarinho branco, abotoaduras — que tenho em minha cabeça.

O cuidado e a formalidade de sua aparência estendem-se à sua atividade de escritor. Talese trabalha numa escrivaninha onde há um enorme computador, mas ele parece ter décadas de idade;

é a máquina de alguém que vê o computador como uma forma mais conveniente de máquina de escrever, e mesmo isso com relutância. Talese não usa internet. Talese não tem e-mail. Em situações em que outras pessoas mandariam um e-mail, ele envia um cartão-postal datilografado. Na parede acima de sua escrivaninha há uma placa de isopor branco onde ele pendura as páginas que já escreveu, bilhetes para si mesmo e as ideias em andamento.

Aos 77 anos de idade, Talese ocupa a posição estranha de ser tanto lendário quanto incompreendido. Sua inovação foi aplicar as técnicas da ficção em suas reportagens para jornais e revistas, dando-lhes a forma e a vida de contos — um estilo chamado mais tarde de Novo Jornalismo, que ele criou na época em que era repórter do *New York Times*, nos anos 1950. Na década seguinte, ganhou fama com seus engenhosos artigos para a revista *Esquire*, entre eles "Frank Sinatra está resfriado", que os editores mais tarde selecionaram como o melhor artigo da revista em setenta anos. Desde então, escreveu muitos livros, entre eles *O reino e o poder* (1969), sobre o *New York Times*; *Honra teu pai* (1971), sobre a Máfia; e *Unto the Sons* (1992), sobre a história de sua família italiana, todos tão complexos como romances. Seu método é penetrar o mais profundamente possível na personagem, explorar uma única psique, como uma maneira de capturar o espírito da época. Apesar do sucesso de Talese e de sua ampla influência sobre várias gerações de escritores de não ficção, alguns críticos tendem a atacar seu trabalho com ferocidade incomum. Ouvem-se ainda ecos do escândalo provocado por *A mulher do próximo* (1980), seu estudo sobre a revolução sexual dos anos 1970, um grande best-seller. Atacado por críticos e feministas que viram algo de ilícito, ou mesmo perverso, em seus métodos — gerenciar uma casa de massagem, entrar para um retiro de swingers —, o livro é hoje reconhecido como uma obra-prima da observação cultural. Talese vive seus livros de uma forma que a maioria dos escritores não vive; ele sai de si mesmo e habita o mundo das pessoas que estuda de um modo que a maioria dos escritores não consegue. Seus livros são tão completa e apaixonadamente pesquisados que parecem censurar os jornalistas comuns por certa falta de ardor e pela contenção em suas abordagens.

Passamos muitas tardes em sua sala de estar bege, sentados em sofás de couro com capitonês, e bebemos copos e mais copos de Coca-Cola. Vi de imediato como deve ter sido difícil para seus entrevistados resistir à sua combinação de charme e veemência. O jornalista que há nele parecia ansioso para assumir o comando: várias vezes corrigiu ou conduziu minhas perguntas, que nem sempre eram suficientemente precisas para ele. Em certos momentos quase parecia que teria preferido entrevistar a si mesmo. Com companhia, é claro.

ENTREVISTADORA

Como começa o seu dia de trabalho?

GAY TALESE

Normalmente, acordo com minha esposa. Não quero tomar café da manhã com ninguém. Então vou do terceiro andar, onde fica nosso quarto, para o quarto andar, onde guardo minhas roupas. Visto-me como se estivesse indo para um escritório. Uso gravata.

ENTREVISTADORA

Abotoaduras?

TALESE

Sim. Visto-me como se fosse para um escritório no centro, em Wall Street ou para um escritório de advocacia, embora o que vá realmente fazer seja descer para o meu bunker. No bunker há uma pequena geladeira; e tomo um suco de laranja, café e como bolinhos. Então mudo de roupa.

ENTREVISTADORA
De novo?

TALESE
Sim. Tenho um plastrão e suéteres. Uso uma echarpe.

ENTREVISTADORA
Você gosta do fato de o bunker não ter janelas?

TALESE
Sim. Não tem portas, não existe tempo. Antes era uma adega.

ENTREVISTADORA
Como você escreve?

TALESE
Primeiro à mão. Depois uso a máquina de escrever.

ENTREVISTADORA
Você nunca escreve diretamente no computador?

TALESE
Ah, não, não posso fazer isso. Quero ser forçado a trabalhar lentamente porque não quero pôr muita coisa no papel. Até o final da manhã, talvez tenha uma página, que vou pregar acima da escrivaninha. Depois do almoço, por volta das cinco horas, volto a trabalhar por mais ou menos uma hora.

ENTREVISTADORA

Com certeza há alguns dias, no meio de um projeto, quando a coisa está realmente andando, em que você escreve mais do que uma única página.

TALESE

Não, não há.

ENTREVISTADORA

Mas seus livros são muito extensos.

TALESE

Eu demoro muito tempo. Publiquei relativamente pouco, levando-se em conta os anos de trabalho. Ao longo de 55 anos, só escrevi cinco livros extensos e dois curtos, e quatro coletâneas. Não é muito.

ENTREVISTADORA

É porque você gasta muito tempo editando?

TALESE

Na verdade, não. Eu datilografo e volto a datilografar. Quando acho que estou chegando perto, passo o texto para o computador. Depois que está na tela, faço pouquíssimas mudanças. É a apuração que toma muito tempo.

ENTREVISTADORA

Você usa blocos de notas quando está fazendo a apuração?

TALESE

Não uso blocos de notas. Uso papelão de camisa.

ENTREVISTADORA

Você se refere ao papelão que vem com as camisas lavadas a seco?

TALESE

Exatamente. Corto o papelão em quatro partes e arredondo os cantos para que caibam no meu bolso. Também uso o papelão inteiro da camisa quando estou escrevendo meus esboços. Faço isso desde os anos 1950.

ENTREVISTADORA

Então você passa o dia escrevendo suas observações em papelões de camisa?

TALESE

Sim, e à noite datilografo minhas anotações. É uma espécie de diário. Mas não só minhas anotações — também minhas observações.

ENTREVISTADORA

O que você quer dizer com observações?

TALESE

Refiro-me às minhas observações pessoais, o que eu estava pensando e sentindo durante o dia, enquanto estava encontrando pessoas, vendo coisas e fazendo anotações nos papelões. Quando escrevo à máquina, à noite, em folhas comuns de papel sulfite, não estou lidando somente com minha pesquisa diária, mas também com o que vi e senti naquele dia. O que faço como pesquisador está sempre misturado com o que sinto ao fazê-lo, e mantenho um registro disso. Sou sempre parte da pauta. Isso fica evidente para qualquer um que ler minhas anotações datilografadas.

Descobri um bom exemplo disso recentemente, quando voltei a algumas pastas antigas, dos anos 1960. Eu tinha acabado de chegar ao Beverly Wilshire, em Los Angeles, para começar a pesquisa para meu artigo sobre Frank Sinatra. Ouço uma batida na porta. É a camareira da noite. Ela entra para arrumar a cama e pôr um chocolate sobre o travesseiro. E essa camareira é linda. É uma mulher forte e esbelta da Guatemala, de cerca de 22 anos, que fala inglês com muito sotaque e veste uma saia listrada maravilhosa. Converso com ela. Depois, me vejo escrevendo sobre essas mulheres que trabalham para o Beverly Wilshire, muitas delas bem bonitas, a maioria oriunda de lugares distantes, que mergulham todos os dias no estilo de vida luxuoso e privilegiado dos hóspedes do hotel. Então, nesse caso, eu deveria estar trabalhando sobre Frank Sinatra, mas todo esse drama dos quartos e camareiras de hotel também está lá.

ENTREVISTADORA

Você se interessa igualmente por todas as pessoas que encontra?

TALESE

Um dos fatos mais importantes da minha vida é que não fui criado em casa, mas numa loja. Meu pai havia sido aprendiz do primo, um alfaiate famoso de Paris, que tinha por clientes astros do cinema e líderes políticos. Em 1920, meu pai partiu de navio para a Filadélfia. Ele odiava a Filadélfia e passou a ter um problema respiratório, então, alguém sugeriu que ele fosse para o litoral.

Em Ocean City, Nova Jersey, comprou uma velha loja na Asbury Avenue, a principal rua de comércio, e abriu a Talese Town Shop. De um lado da loja, montou uma alfaiataria. Do outro lado, minha mãe, que tinha crescido num bairro ítalo-americano em Park Slope, Brooklyn, abriu uma loja de roupas. Em cima da loja de meus pais havia um apartamento.

O negócio da alfaiataria nunca funcionou de fato. Os artesãos eram bons, mas não havia gente suficiente em Ocean City que quisesse pagar por ternos feitos à mão. Então minha mãe passou a sustentar a família. Todo o dinheiro que ganhávamos vinha da venda de vestidos. Ela teve sucesso porque sabia fazer as mulheres falarem de si mesmas. Suas clientes eram, em sua maioria, mulheres gordas, mulheres que não iam para a praia no verão. Minha mãe lhes dava para provar roupas que faziam com que ficassem com uma aparência melhor do que aquela que pensavam ser de seu direito ter. Ela não era uma vigarista. Vendia porque confiavam nela e gostavam dela, e ela gostava das clientes. Eu ficava por lá muitas vezes — dobrando as caixas dos vestidos, espanando os balcões, fazendo biscates — e aprendi muito sobre a cidade escutando às escondidas. Essas mulheres, ao contar para minha mãe suas histórias privadas, me mostraram que havia um mundo maior.

ENTREVISTADORA

Você escreveu quando criança?

TALESE

Havia um jornal semanal em Ocean City, o *Sentinel-Ledger*, e seu editor, Lorin Angevine, visitava ocasionalmente a loja do meu pai. No primeiro ano da escola secundária, decidi que queria escrever histórias, e meu pai sugeriu que eu fosse visitá-lo. O sr. Angevine disse que eu poderia escrever uma coluna chamada "High School Highlights" [Destaques do colégio], desde que encontrasse notícias suficientes sobre as atividades escolares para preenchê-la.

Eu era deslocado na escola. Não era parecido com os outros estudantes e certamente não me vestia como eles, com suas jaquetas de lã. Meu pai fazia minhas roupas, e eu andava excessivamente bem-vestido. Mas a coluna me deu uma desculpa para falar com os outros alunos. Não era diferente da minha mãe falando com as mulheres ricas na loja de roupas. O jornalismo me fez sentir que, mesmo que não fizesse parte do grupo deles, eu tinha o direito de estar lá.

ENTREVISTADORA

Você leu muito na infância?

TALESE

Li o que o meu pároco chamava de ficção barata. O maravilhoso e picante Frank Yerby — um escritor negro da Geórgia que vivia na Espanha. Li alguns escritores da *New Yorker* quando estava na faculdade. Foi quando conheci William Faulkner, Irwin Shaw, John O'Hara e John Cheever.

ENTREVISTADORA

Como acabou indo para a faculdade no Alabama?

TALESE

Foi a escola em que consegui entrar. Tirei notas ruins no colégio. Fui rejeitado por todas as faculdades da região, e, antes que eu percebesse, estávamos no final do verão. Um dos clientes do meu pai era um médico, Aldrich Crowe, que nascera em Birmingham e se formara na Faculdade de Medicina da Universidade do Alabama. Ele deu um telefonema em meu nome, e algumas semanas mais tarde recebi uma carta de aceitação.

Desfrutei do período que passei lá e me formei. Eu me preocupava em tirar notas altas. Se fosse reprovado, perderia o adiamento do serviço militar concedido a estudantes. Teria sido mandado para a Coreia.

ENTREVISTADORA

Por que você escolheu a especialização em jornalismo?

TALESE

A principal razão foi que parecia a coisa mais fácil de fazer. Mas a minha grande oportunidade jornalística surgiu quando fiz amizade com um cara chamado Jimmy Pinkston. Perto da formatura, Jimmy me disse: "Se alguma vez você for a Nova York, deve procurar meu primo, Turner Catledge. Ele é o editor-chefe do *New York Times*". Então, quando me formei, no verão de 1953, a primeira coisa que fiz foi pegar um ônibus para Nova York. Entrei no edifício do *New York Times*. O recepcionista perguntou: "O que posso fazer por você, meu jovem?". Eu respondi: "Gostaria de cumprimentar o sr. Turner Catledge". "Você tem hora marcada?" "Não." Ele disse: "Bem, o sr. Catledge é muito ocupado. Por que você está aqui?". Eu disse: "Conheço o primo dele".

O recepcionista olhou para mim como se eu fosse algum tipo de louco, mas eu estava muito bem-vestido, com roupas feitas por meu pai — pelo menos, era um lunático bem-vestido. Depois de seis horas, entrei para ver o sr. Catledge. Ele perguntou: "O que o traz a Nova York?". Falei: "Bem, sou amigo de seu primo". Ele disse: "E quem seria ele, se não se importa que eu pergunte?". "James Pinkston." Catledge olhou para mim e não havia nenhuma expressão em seu rosto. Pensei que Jimmy Pinkston era um parente tão distante que Catledge nem sequer sabia que fosse seu primo. Mas, de qualquer maneira, ele me contratou como office boy. Foi assim que comecei: levando cópias de reportagens de uma seção para outra, levando café e sanduíches para pessoas, fazendo um pouco de tudo. E depois de uma semana e meia minha primeira matéria foi publicada no jornal.

ENTREVISTADORA

Era sobre o quê?

TALESE

Os boys tinham de ir à noite à Times Square para esperar a chegada dos tabloides de fim de noite, que entregávamos aos editores para que pudessem ver o que os outros jornais estavam noticiando. Uma noite, enquanto esperava na Times Square, fiquei encantado diante do painel eletrônico de notícias que corria em três lados do velho edifício do *New York Times*. Quinze mil lâmpadas escreviam as manchetes do dia, em letras de 1,5 metro de altura. Eu me perguntei: "Como fazem isso?".

Depois que entregava os jornais, eu tinha algum tempo livre, então voltei ao velho edifício do *Times* e subi as escadas, até que encontrei uma porta aberta no quarto andar. Ali havia um homem de pé em uma escada, segurando o que parecia ser um acordeão. Eu disse: "Desculpe, sou um office boy e só queria saber o que você está fazendo". Ele respondeu: "Estou fazendo as manchetes". Perguntei como ele fazia isso. "Eles me telefonam e leem as manchetes, e eu as escrevo neste aparelho aqui. Ele faz com que as lâmpadas acendam do jeito certo". Disse que trabalhava nisso havia 25 anos. Perguntei qual tinha sido sua primeira grande manchete e ele respondeu: "Ah, na noite da eleição de 1928. HERBERT HOOVER DERROTA AL SMITH". Perguntei se poderia voltar com um bloco de notas e entrevistá-lo sobre sua carreira e algumas das manchetes famosas que escrevera, e ele concordou.

Uma das coisas boas de ser office boy era que a gente acabava conhecendo um monte de gente da equipe. Especialmente se você fosse bem-educado. Eu tinha boas maneiras, por ter crescido na loja — uma atitude de reverência em relação ao cliente. Então abordei Meyer Berger, um dos repórteres famosos do jornal naquela época e um homem generoso, maravilhoso. Ele disse que eu poderia escrever a matéria em sua máquina de escrever e lhe mostrar. Fiz isso, e ele gostou. Mostrou ao seu editor, e logo ela foi publicada, sem assinatura, na página editorial.

ENTREVISTADORA

Para fazer isso, era preciso ter muita confiança.

TALESE

Bem, eu não confiava muito em mim mesmo, porque não havia ninguém, ninguém mesmo, que confiasse em mim. Sempre penso em John Updike, que tinha uma enorme confiança em si mesmo porque sua mãe disse a ele: "Você é o maior merdinha do mundo. Você é tão, tão, tão maravilhoso!", e ele acreditou. David Halberstam também — sua mãe disse que ele era o maior merda do mundo e ele acreditou. Tinha uma tremenda imagem de si mesmo. Na sua cabeça, era Charles de Gaulle. Minha mãe nunca me disse que eu era o maior, tampouco meu pai. Eram muito críticos. Eu achava que tinha que provar alguma coisa para eles. Nem eles nem ninguém mais me deu a sensação de que eu era talentoso.

ENTREVISTADORA

Quando você percebeu que tinha talento?

TALESE

Nunca. Tudo o que tenho é uma curiosidade intensa. Tenho um grande interesse por outras pessoas e, igualmente importante, tenho paciência para ficar perto delas.

ENTREVISTADORA

O que aconteceu depois que você foi promovido a repórter no *Times*?

TALESE

Meu primeiro trabalho foi na editoria de esportes, mas eu não queria escrever sobre eventos desportivos. Queria escrever sobre gente. Escrevi sobre um boxeador perdedor, um treinador de cavalos e sobre o sujeito do ringue de boxe que tocava o sino entre os rounds. Eu estava interessado em ficção. Queria escrever como Fitzgerald. Colecionava sua obra — seus contos e diários. "Sonhos de inverno" é meu conto preferido de todos os tempos. Os bons escritores de não ficção escreviam sobre gente famosa, pessoas de destaque naquele momento ou pessoas públicas. Ninguém escrevia sobre pessoas desconhecidas. Eu sabia que não queria estar na primeira página. Na primeira página você fica preso às notícias. As notícias dominam você. Eu queria dominar as reportagens. Eu queria escolher assuntos que não fossem aquilo que os editores pensam como pauta. Minha ideia era usar algumas das técnicas do escritor de ficção: ambientação da cena, diálogo e até mesmo monólogo interior, se conhecesse suficientemente bem as pessoas. Eu escrevia contos, e não havia muitas pessoas no *Times* fazendo isso. Uma vez, num jogo de beisebol da NYU, ouvi uma conversa entre um jovem casal que estava tendo uma briga. Escrevi o diálogo e contei a história do jogo através do que eles estavam vendo e o que estavam dizendo. Na parada do dia de são Patrício, escrevi sobre a última pessoa na procissão, um sujeito baixo que carregava uma tuba, e atrás dele vinham os caminhões de limpeza. Segui a procissão do ponto de vista desse tocador de tuba.

ENTREVISTADORA

Qual foi a reação ao seu trabalho por parte dos editores ou dos outros escritores? Tratava-se obviamente de reportagens incomuns no *New York Times* daquela época.

TALESE

Antes de tudo, eles achavam que eu estava mentindo. Diziam que eu estava escrevendo ficção. Eu dizia que não estava escrevendo ficção. Tomava muito cuidado para ser preciso. Nos dez anos em que trabalhei como repórter de jornal, nunca cometi um erro que exigisse uma correção. Às vezes minhas reportagens eram publicadas, às vezes não. Mas eu queria ser escritor, não repórter.

ENTREVISTADORA

Naquela época, você escrevia tão devagar e com tanto cuidado como agora?

TALESE

Todos os outros repórteres da minha geração voltavam de uma pauta e escreviam suas reportagens em meia hora. No resto da tarde, liam livros, jogavam cartas ou tomavam café na lanchonete, e eu estava sempre muito sozinho. Não conversava durante esse tempo. Eu só queria fazer o meu artigo perfeito, ou o melhor possível. Então reescrevia, reescrevia, sentindo que precisava de cada minuto do dia para melhorar meu trabalho. Fazia isso porque não acreditava que aquilo era apenas jornalismo, jogado fora no dia seguinte junto com o lixo. Sempre pensei no amanhã. Nunca entreguei nada antes de dois minutos para o prazo final. Nunca foi fácil, eu achava que tinha apenas uma chance. Eu trabalhava para um jornal de registro e acreditava que aquilo que estava fazendo faria parte de uma história permanente.

Era melhor que a reportagem fosse boa, também, porque estava assinada com meu nome. Sempre pensei assim. Acho que isso veio de ver o meu pai trabalhar nos ternos. Ficava impressionado com o extremo cuidado com que costurava, e ele jamais ganhou muito dinheiro, mas eu achava que ele era autêntico. Seu nome estava naqueles ternos — os botões não poderiam cair no dia seguinte. As roupas tinham de parecer ótimas, precisavam cair bem e durar bastante. Seu negócio não era rentável, mas com ele aprendi que queria ser um artesão.

ENTREVISTADORA

Por que você trocou o *Times* pela *Esquire*?

TALESE

Eu não conseguia me conter dentro do limite de 1200 palavras do jornalismo diário. Aonde quer que eu fosse, achava que havia histórias que outras pessoas não estavam contando. Quando entrava nos vestiários de atletas profissionais, por exemplo, ficava simplesmente ouvindo as conversas e olhando para os corpos daqueles homens que estiveram em vestiários com outros homens desde a infância. Lá estavam outros repórteres esportivos, que faziam aos atletas perguntas sobre o desempenho deles no jogo daquela noite, mas eu pensava: não, há uma matéria diferente aqui. Esses homens são fascinantes, não como atletas, mas na maneira como se misturam. Eles são mais livres uns com os outros do que homossexuais numa sauna. Os outros repórteres nem sequer viam isso, viam apenas sua pauta. No entanto, como era um jornal diário, eu era obrigado a deixar de lado essas reportagens. Não poderia escrevê-las com alguma profundidade. Foi esse o motivo real de não conseguir mais realizar as pautas.

Ao mesmo tempo, em meados da década de 1960, Tom Wolfe e Jimmy Breslin se divertiam no *Herald Tribune*. Podiam escrever o que quisessem, e eu gostaria de ter esse tipo de liberdade. Eu tinha muita liberdade pelos padrões do *Times*, mas não em comparação com eles. Queria mais espaço e queria ir aonde me desse vontade.

ENTREVISTADORA

O que você achava desses outros escritores?

TALESE

Um sujeito que admiro muito é Tom Wolfe. Eu o conheci

bem cedo, quando ele estava no *Herald Tribune* e eu no *Times*. Éramos amigos, e ele vinha muitas vezes jantar conosco. Estilisticamente, Wolfe é incomparável. É uma pessoa extraordinária, um grande repórter e um escritor maravilhoso.

Não ponho Breslin ou Hunter S. Thompson nesse nível. Nunca me senti competindo com Breslin. Achava que ele era desnecessariamente rude. Ele transformou a rudeza numa espécie de manifestação comercializável de sua mentalidade. Thompson estava lá. Ele tocava uma música que muita gente entendia, mas eu não. Gostei de alguns de seus trabalhos e li alguns de seus livros. Encontrei-me com ele talvez duas vezes e não sinto hostilidade em relação a ele. Eu estava assistindo a um documentário recente sobre Thompson e um amigo me contou que tinha um exemplar de *O reino e o poder* em sua estante. Então percebi que deveria ter valorizado mais Hunter S. Thompson.

ENTREVISTADORA

Você pensava em si mesmo como integrante do movimento comumente chamado de Novo Jornalismo?

TALESE

Wolfe, em seu livro sobre o Novo Jornalismo, honra-me ao me chamar de um de seus fundadores. Mas nunca dei atenção ao Novo Jornalismo. Nunca senti que fazia parte de uma categoria de novas pessoas fazendo coisas novas. Eu queria escrever como Fitzgerald.

ENTREVISTADORA

Você sente que compete com romancistas?

TALESE

Sinto. O jornalismo não é visto com muito respeito. Os próprios jornalistas, especialmente da minha geração, não levavam seus trabalhos muito a sério. Eu o levo muito a sério. Trata-se de um artesanato. É uma forma de arte. Escrevo histórias, como os escritores de ficção, só que uso nomes reais. Se você separar meus livros em capítulos, cada um deles se sustenta como um conto. Tome o capítulo sobre McCandlish Phillips em *O reino e o poder*, aquele sobre Garibaldi em *Unto the Sons* e o outro sobre Harold Rubin em *A mulher do próximo* — eles funcionariam juntos como uma coletânea de contos.

Os escritores de não ficção são cidadãos de segunda classe, a Ellis Island da literatura. Nós simplesmente não conseguimos entrar. E, sim, isso me irrita.

ENTREVISTADORA

Alguma vez você tentou escrever ficção?

TALESE

Escrevi um conto que foi publicado em 1967 na revista *Mademoiselle*. Guardo uma bela carta do editor de ficção sobre isso. Mas nunca escrevi outro texto desse tipo. Achava que a não ficção era uma área onde eu poderia fazer coisas que outros não estavam fazendo. Há tantos grandes contistas, dramaturgos e romancistas, mas não havia muitos escritores de não ficção realmente maravilhosos. Pensei que preferia ser um desses.

ENTREVISTADORA

Seu artigo "Frank Sinatra está resfriado" é apontado muitas vezes como a obra clássica do Novo Jornalismo. Como você recebeu essa pauta?

TALESE

Harold Hayes, meu editor na *Esquire*, avisou: "Já sei qual será sua próxima reportagem: Sinatra". Eu lhe disse que não queria fazê-la. Já tinham escrito tudo sobre Sinatra. Quer dizer, meu Deus, outra matéria sobre Sinatra? Mas Hayes é uma pessoa forte com modos muito educados, e me convenceu. Então vou para o Beverly Wilshire, em Los Angeles, e telefono para o assessor de imprensa de Sinatra, Jim Mahoney. Ele diz que Frank não está se sentindo bem. Está resfriado. Mahoney também não está contente com outras coisas. Está infeliz com o rumor de que Sinatra é amigo de figuras do crime organizado. Mahoney diz: "Talvez queiramos que você assine um acordo dizendo que podemos ver o texto primeiro". Eu digo: "Não posso fazer isso". Ele diz: "Então talvez não tenhamos um acordo". No final da semana, ainda estou no quarto do hotel e Mahoney me telefona para perguntar o que estou fazendo. Eu digo: "Estava esperando você me telefonar. Como Frank está se sentindo?". "Bom, ele não está muito bem." Eu digo: "Ele ainda está resfriado?". Ele diz: "Sim, ainda está resfriado". Ele levanta a questão do acordo de novo, e novamente eu digo que isso é um problema. Ele diz: "Fiquei sabendo que você está conversando com algumas pessoas". "Sim, tenho conversado com pessoas." "Você tem conversado com alguns dos amigos de Frank?" Eu digo: "Não sei se são amigos de Frank, mas tenho conversado com algumas pessoas". Ele me pergunta: "Por quanto tempo você vai fazer isso?". "Não sei", respondo, e, em seguida, ele desliga.

Naquela noite, por volta das dez horas, estou sentado em um bar, observando as pessoas, e eis que avisto Frank Sinatra sentar-se no canto do bar com duas loiras. Sinatra vai jogar bilhar e testemunho uma cena entre ele e um sujeito chamado Harlan Ellison, e anoto num papelão de camisa. Mas não entendo tudo o que aconteceu, então vou até Ellison e pergunto se posso falar com ele no dia seguinte. Ele me dá seu número de telefone e endereço. Quando falamos pessoalmente, pergunto não só o que todo mundo disse, mas o que ele estava pensando. Eu sempre pergunto às pessoas o que se passa em suas cabeças. "Você foi surpreendido por Sinatra?" "Você o conhecia de antes?" "Achou que ele ia bater em você, ou você é que queria acabar com ele?"

Então, alguém que eu conhecia tinha uma secretária que fora colega de escola da filha de Sinatra, Nancy. Ela me contou uma história ótima sobre a vez em que foi a uma festa na casa dos Sinatra. Na festa, ela derrubou acidentalmente um pássaro de alabastro do consolo e da lareira. E a pequena Nancy diz: "Ah, não, esse é o preferido da minha mãe!". Então Frank Sinatra derruba o outro.

Telefonei para Floyd Patterson, sobre quem eu escrevera um artigo na *Esquire*, porque sabia que Sinatra iria vê-lo numa luta em Las Vegas. Ele me conseguiu ingressos para a luta e eu apenas segui Sinatra pelo lugar. Eu estava em contato com Floyd porque, quando termino uma reportagem, não dou por encerrada a história. Mantenho contato com as pessoas sobre as quais escrevo. Fazia isso até mesmo quando era um jovem jornalista esportivo em início de carreira, com 25 anos de idade. Mantenho contato porque sempre penso que pode haver mais. As histórias continuam.

Então, eu estava atrás de pequenas coisas como essas. Ligava para Harold Hayes, meu editor, quase todos os dias. Ele me perguntou como as coisas estavam indo. Eu respondi: "Estou aqui conseguindo algumas coisas". Harold nunca me perguntou se eu queria voltar e nunca pensei em perguntar-lhe se poderia ir embora.

ENTREVISTADORA

Alguma vez você fez contato visual com Sinatra?

TALESE

Sim, tenho certeza de que ele sabia quem eu era, mas não

falou comigo. Eu não estava pedindo nenhum favor a ele, mas estava entrevistando um monte dos chamados personagens menores. Especializei-me em personagens menores. Quando finalmente voltei para Nova York, procurei Jilly Rizzo, dono de um bar que era próximo de Sinatra. Ele me levou para visitar os pais de Sinatra em Nova Jersey. Foi uma grande oportunidade para mim, porque a mãe de Sinatra foi simpática e me falou sobre sua relação com Ava Gardner. Sou obrigado a acreditar que Sinatra lhe deu permissão para falar comigo, porque, caso contrário, duvido que ela teria me recebido. Sinatra e eu estávamos cooperando um com o outro sem admitir isso. Em outras palavras, eu não estava pedindo uma entrevista, e ele não estava dizendo: "Não escreva sobre mim". Era uma dança engraçada.

Entreguei uma reportagem de cerca de cem páginas. Não mudaram uma única palavra. Quando saiu, não disseram coisas do tipo "Ah, eis um dos melhores artigos de todos os tempos". Era só mais um artigo.

ENTREVISTADORA

O que você achou do texto?

TALESE

Achei que estava legal. Ainda acho que não foi a minha melhor reportagem. Eu achava que "Sr. Más Notícias", sobre o redator de obituários do *New York Times*, era melhor. Acho que fiz uma matéria também melhor sobre Muhammad Ali. Não falei com ele de forma alguma. Tal como fiz com Sinatra, confiei em personagens menores. E adoro o artigo sobre Peter O'Toole. Foi a entrevista mais inteligente que já fiz. Foi a única vez que senti que poderia realmente falar com uma pessoa sobre a qual estava escrevendo. O'Toole foi um dos primeiros artigos de revista que escrevi no qual os personagens menores não conduziam a história.

É engraçado, metade do que escrevi, que às vezes entra em antologias, como "Sinatra", ou "O perdedor", sobre Floyd Patterson, acho que ninguém publicaria hoje. Lembro-me de receber um telefonema, já faz alguns meses, de um amigo que me contou que eu ia receber o prêmio George Polk pelo conjunto da obra. Meu amigo disse que queria dar a notícia para o pessoal da *Esquire*. "*Esquire*? Não escrevo mais para a *Esquire*". Ele falou: "Mas você fez 'Sinatra'". "Isso foi há quarenta anos." Não estou me menosprezando, mas a verdade é que o tipo de artigo de revista que eu costumava fazer não é mais publicado em revistas.

ENTREVISTADORA

Sério? Por que não?

TALESE

No ano passado, a *Esquire* ia publicar uma edição de aniversário. Pensei que eu poderia ter a chance de fazer alguma reportagem para ela — ainda que, na minha opinião, a revista não seja mais tão boa. Então propus um novo artigo sobre O'Toole. Eles não quiseram. Na verdade, nem recebi resposta do editor.

Percebi que as coisas tinham mudado no mundo das revistas por volta de 1996. Depois de muitos anos sem escrever para elas, *The Nation* me pediu para escrever sobre o primeiro encontro entre Muhammad Ali e Fidel Castro, em Havana. Entreguei o texto e me disseram que não servia para eles. Era grande demais. Então ofereci o artigo para *The New Yorker*, *The New York Times*, *GQ*, *Commentary*, *Harper*, *The Atlantic*, *Rolling Stone*, *Esquire* — todas o rejeitaram. Eu pensei: Que diabos? O artigo é bom. Teria sido publicado imediatamente em 1967. Por fim, o editor de artigos da *Esquire* pediu para vê-lo de novo. Queriam fazer cortes e eu recusei. Seguraram a matéria por um tempo, mas finalmente a publicaram.

ENTREVISTADORA

Por que você acha que as editoras de revistas trabalhavam de forma tão diferente quarenta anos atrás?

TALESE

Quando cheguei à idade adulta, na época do pós-Segunda Guerra, muitos dos jovens que queriam ser jornalistas sonhavam em ser correspondentes estrangeiros. Eu nunca quis isso porque pensava que já temos um país estrangeiro aqui onde estamos. O movimento dos direitos civis, o movimento contra a guerra, a revolução cultural, os direitos dos homossexuais, o feminismo — a novidade de tudo isso fazia com que nosso próprio país parecesse estrangeiro, especialmente para as gerações mais velhas. *A mulher do próximo* trata muito de toda a mudança na moral que acabara de acontecer. Na década de 1960, a pauta não estava na França, nem mesmo na Rússia — estava nos Estados Unidos.

ENTREVISTADORA

Por que você desistiu de escrever artigos de revista?

TALESE

Eu estava trabalhando demais para elas. Adorava a forma. Mas comecei a escrever sobre o pessoal do *New York Times* para a *Esquire* e tive a ideia de escrever um livro sobre o assunto, *O reino e o poder*.

ENTREVISTADORA

Você se preocupou com a reação de seus amigos e ex-colegas do jornal diante de um livro tão revelador?

TALESE

Não, não me preocupei. Não é que eu não me importasse. Eu

me importava muito. Mas acredito que, todos os dias, o *New York Times* fere pessoas e destrói carreiras — dramaturgos, homens de negócios, pessoas que são acusadas de crimes que não cometeram. Eles são assassinos. As resenhas, críticas, as reportagens nacionais e internacionais às vezes são corretas, às vezes são corretas pela metade e, às vezes, são calúnias.

Não que eu estivesse em alguma cruzada para igualar o placar contra essas pessoas da mídia. Eu apenas pensei: "Vou ser justo". Em minha cabeça, estava citando o grande Adolph Ochs, que disse que o *Times* devia ser "mais do que justo e cortês com aqueles que pudessem sinceramente discordar de seus pontos de vista". Eu achava que esse era o credo do jornal. Era muito mais importante do que "Todas as notícias dignas de publicar". Então, eu estava sendo mais do que justo com aqueles de quem eu sinceramente discordava. Não era um livro polêmico, era apenas um livro de reportagem. Uma reportagem sobre o ato de noticiar. Mas também trazia histórias. Há algumas boas histórias nele.

ENTREVISTADORA

Como é ser casado com uma editora? Nan alguma vez edita o que você escreve?

TALESE

Não exatamente, mas ela lê em voz alta para mim cada página que escrevo. Uma vez, pedi que ela lesse um texto que mais tarde faria parte de *O reino e o poder*. Ela disse que estava bom. Então trabalhei nele um pouco mais e, na minha opinião o deixei muito melhor. Mostrei-lhe o novo rascunho e ela disse: "Está bom". Eu disse: "Isso é o que você me falou na semana passada sobre o rascunho anterior". Ela respondeu: "Bom, aquele rascunho também era bom". Reclamei que ela não estava sendo dura o suficiente comigo; eu queria que ela lesse meu trabalho como editora, não como esposa.

Às vezes, porém, falo sobre o que estou prestes a fazer. Em *Vida de escritor*, eu queria escrever sobre a mãe e o pai dela e sobre como nunca nos demos bem, e ela me pediu para não fazê-lo.

ENTREVISTADORA

Você gasta uma quantidade incrível de tempo na apuração de seus textos. Acha que isso já se tornou obsessivo ou excessivo?

TALESE

A pesquisa original é difícil e demorada. Não estou fazendo uma história da Revolução Francesa, em que posso ir à biblioteca e consultar mil livros. Quando comecei a pesquisar sobre leis da pornografia, por exemplo, tive muito trabalho só para entender aquelas peças processuais. Leia aqueles processos — eles são chatos! Ou quando quis apurar sobre um restaurante, o Napa Valley Grill, que fechou há catorze anos, tive de procurar pessoas, viajar por todo o país, apenas para encontrar algum subchefe que tivesse trabalhado lá. Não dá para usar o Google para isso.

Grande parte do que pesquiso para meu trabalho não acaba em livro, mas não acho que exista excesso de pesquisa. Toda a minha apuração é importante porque me dá uma base e uma noção de proporção do meu assunto. E descubro coisas que poderiam me levar a outras matérias. Estava pesquisando sobre um homem cujo pênis foi cortado, John Wayne Bobbitt, para um artigo que acabou sendo adaptado para *Vida de escritor*. A história de Bobbitt é a respeito de um homem que perde a capacidade de ter uma ereção. Então fiquei extremamente interessado em urologia e comecei a comparecer a convenções de urologia. Fiquei sabendo que muitos homens jovens ficam impotentes após lesões comuns — acidentes de carro, ferimentos de guerra, lesões desportivas. Uma equipe inteira da Faculdade de Medicina da Universidade de Miami se dedica a tentar devolver a capacidade de ter ereções para homens feridos desse modo, homens que são jovens, casados e querem ter filhos.

Encontrei uma mulher na Faculdade de Medicina cuja função é dar ereções aos homens. Ela é uma das mulheres mais interessantes que já conheci. Não é bonita, mas é a maior masturbadora de todos os Estados Unidos da América. Observei seu trabalho. O homem senta-se na cama, um médico está presente, e ela começa a acariciar o paciente. Tem os dedos mais mágicos que se possa imaginar. Em seguida, o médico recolhe o esperma e injeta na esposa, que está a postos. Sempre pensei que escreveria um texto sobre essa mulher, mas nunca escrevi, nem descobri como incluí-la em *Vida de escritor*. Talvez um dia encontre um lugar para ela.

ENTREVISTADORA

Como você sabe quando deve transformar um artigo em um livro?

TALESE

Um bom exemplo é o meu livro sobre a ponte Verrazano-Narrows. Em 1959, Robert Moses propôs a expulsão de milhares de pessoas que viviam em Bay Ridge, bem perto do Narrows, para que a ponte pudesse ser construída. Fui pautado para ir ao Brooklyn cobrir um protesto do bairro contra Moses. Pensei: "Para essas pessoas, é uma catástrofe da escala de um terremoto. Ou de uma guerra — Dresden, Polônia, Hiroshima —, em que áreas urbanas inteiras são destruídas por bombas e os sobreviventes têm de se mudar". Moses não ia apenas derrubar edifícios, ia destruir vidas. Comecei a pensar em todos os tipos de pessoas que seriam afetados. Crianças teriam de ir para novas escolas com novos colegas. Um homem tendo um caso com uma mulher vizinha de quarteirão — agora eles precisavam mudar para bairros diferentes. Um dentista perde seus pacientes, uma igreja perde seus paroquianos, agentes funerários perdem seus mortos. Escrevi um artigo para o *Times* sobre o protesto, mas achei que havia muita coisa que não consegui incluir numa matéria pequena.

A segunda coisa que pensei foi: Como se constrói uma ponte? Não conseguia entender como se constrói uma estrada pela água. Então comecei a ler sobre isso. Descobri que se costumava atirar uma flecha com uma corda amarrada nela cruzando as margens de um rio. Pensei: — " Isso é interessante. Agora, como se faz isso com aço?".

ENTREVISTADORA

Você também já escreveu livros sobre a indústria jornalística, a Máfia, sexo e sua família. Há algum tema que una todos esses assuntos?

TALESE

Um sentido de história. Em todos os meus livros, tento contar ao leitor de onde vêm meus personagens e como chegaram ao ponto em que os encontrei. Nunca é apenas o presente. Sempre é sobre o passado também. Origens. Isso vale até para os artigos de revistas. O instinto vem da minha mãe, em sua loja. Ela era recém-chegada do Brooklyn e queria saber sobre as mulheres que eram suas clientes.

ENTREVISTADORA

Você disse que nunca paga pelas entrevistas. Mas você criou um fundo para a família Bonanno. Como explica isso?

TALESE

Quando eu estava na casa de Bill Bonanno, apurando para *Honra teu pai*, ouvi muitas vezes sua esposa Rosalie se queixar com ele sobre dinheiro. Eles precisavam de dinheiro, seus filhos precisavam de dinheiro. Pensei: Estou testemunhando algo que nunca é relatado pelos repórteres policiais dos jornais, que sempre retratam os mafiosos como ricos, morando em mansões. O próprio Bonanno tinha uma afetação de riqueza. Mas lá dentro, observei que era difícil.

A única coisa por que paguei no momento da publicação foram as fotografias utilizadas na *Esquire* e depois no livro. Comprei cerca de cinquenta fotografias, por 9 mil dólares. Contei isso no livro. Quando terminei o manuscrito, minha agente, Candida Donadio, vendeu imediatamente os direitos da edição por 451 mil dólares. Os mil adicionais foram para superar a venda da edição de *O poderoso chefão*. Isso foi 1971, e pela primeira vez em minha vida tive dinheiro. Comprei esta casa em que estamos agora. E achei que tinha de fazer alguma coisa pela família Bonanno. A única coisa em que consegui pensar foi iniciar um fundo universitário, que fiz ao mesmo tempo para minhas próprias filhas. *Honra teu pai* pagou a faculdade para os quatro filhos de Bonanno e para minhas filhas. Gosto de ter feito isso porque tenho provas agora de que foi a decisão certa. Os quatro filhos de Bonanno são corretos, um deles é até um médico importante. Nenhum deles teve de fazer o que seu pai escolheu fazer.

ENTREVISTADORA

Como começou o projeto ambicioso que tanto se ampliou e se transformou em *A mulher do próximo*?

TALESE

Uma noite, depois do jantar, Nan e eu estávamos andando

pela Lexington Avenue, na altura da rua 58, quando vi uma placa que dizia MODELOS NUS AO VIVO. Isso foi em 1972. Falei para Nan: "Vamos subir e verificar isso". Ela respondeu: "Vai você, te encontro em casa". Voltei na manhã seguinte e descobri que era uma casa de massagem. Um homem na recepção me deu um álbum de fotos. Ele disse: "Você pode escolher entre as quatro garotas retratadas aí". Escolhi uma delas e fui levado para uma sala pequena.

Era no terceiro andar e eu podia ouvir os ônibus descendo a Lexington, o ruído da troca de marchas e as conversas da rua. E aqui estou atrás de uma cortina, com esta jovem. Pergunto de onde ela é. Ela diz Alabama. Eu digo: "Ah, é mesmo? Eu estudei na Universidade do Alabama". Claro que ela não dava a mínima para isso. Mas, enquanto ela realizava seus serviços, parte de mim está gostando e parte de mim está interessada na coisa toda: quem é essa mulher? Como foi sua infância? Quem são os homens que vêm aqui?

Comecei a frequentar essas casas todos os dias. E sempre conversava com aquelas mulheres durante a massagem.

ENTREVISTADORA

Você fez anotações?

TALESE

Não. Eu estava procurando por uma mulher que fosse realmente articulada. Estava escolhendo o elenco. Estava procurando uma personagem. Por grande parte de 1972 e em 1973, eu estava procurando personagens. Queria escrever sobre os anos 1970 e sobre uma nova geração de pessoas com atitudes novas em relação à sexualidade. Achei que a casa de massagem seria um laboratório perfeito para mim. Havia muitas mulheres sobre as quais seria ótimo escrever, muitas delas com educação superior, da Universidade de Nova York e do Hunter College, mas, depois de passar algum tempo com elas, fazer muitas anotações, levá-las para jantar e conhecer seus namorados, elas me diziam que eu não poderia usar seus nomes verdadeiros. Esse foi o maior problema que tive. E, depois de uma série de fracassos, finalmente encontrei uma mulher que me deixaria usar seu nome.

ENTREVISTADORA

Por que é tão importante para você usar nomes verdadeiros?

TALESE

Quando uso o nome verdadeiro de uma pessoa, estou dizendo para o leitor que ele pode verificar se estou falando a verdade. Eu queria mostrar que é possível escrever sobre pessoas reais e sobre suas vidas privadas — o que sempre foi território dos escritores de ficção. Eu nunca quis tomar o caminho mais fácil: a personagem anônima ou a personagem composta. Muitos jornalistas e escritores são mentirosos. Você sabe quem eles são. Eu queria me distinguir deles. Não é fácil. Em *A mulher do próximo*, levei três meses para decidir como poderia escrever uma transição entre dois personagens, Harold Rubin e John Bullaro. Pensei: Meu Deus, se estivesse escrevendo ficção, poderia juntá-los no mesmo personagem, porque são ambos judeus e de Chicago. Mas eu queria a verdade.

ENTREVISTADORA

O que aconteceu quando você finalmente encontrou a massagista que o deixaria usar o nome dela?

TALESE

Convidei-a, junto com seu namorado, que era médico, para jantar uma noite. Nan está cozinhando e o médico se levanta e diz: "Vou fazer companhia a Nan". Então ele vai para a cozinha, enquanto a massagista e eu ficamos sentados na sala de estar, apenas conversando. Eles estão muito silenciosos lá dentro e percebo que a massagista está ficando um pouco irritada. Acontece que o médico está completamente encantado com Nan. Finalmente, minha mulher sai da cozinha e diz que o jantar está pronto. Depois do jantar, digo que vou ajudar a lavar os pratos. O médico diz: "Não, não, deixa comigo". Então Nan e o médico voltam para lá e ouço Nan dizer: "Não faça isso".

Ele estava dando em cima dela. Isso podia pôr em risco minha reportagem. Então Nan e o médico saíram da cozinha, e ele e a massagista começaram a beber. O médico ficou bêbado e desmaiou no chão. Teve de passar toda a noite na minha casa, e sua namorada ficou com ele. Na manhã seguinte, Nan me disse: "Você insistiu e insistiu para que eu os conhecesse e acabei aceitando. Mas não vou mais me envolver em sua pesquisa para este livro".

ENTREVISTADORA

A massagista ainda falou com você para o livro?

TALESE

Não. Poucos dias depois, disse que estava desistindo. Contou que ia se casar com o médico. Eles se casaram e se mudaram para Miami. Perdi minha personagem. Isso me deixou realmente contrariado, porque ela era uma boa personagem.

ENTREVISTADORA

Nan se incomodou com o fato de você fazer esse livro? De frequentar casas de massagem, depois gerenciar uma delas e ir para colônias nudistas?

TALESE

Não. Às vezes eu ligava para ela do telefone público do salão de baile de Sandstone, o retiro de swingers na Califórnia. Eu estava nu e tinha de subir para buscar moedas. Telefonava para Nan às seis ou sete horas, horário de Nova York, quando ela estaria de volta do escritório. E eu dizia: "Oi, estou aqui assistindo ao dr. Alex Comfort fazer *cunnilingus* numa dançarina de balé", ou algo parecido. Quando comecei a administrar uma casa de massagem, a uma quadra do escritório da Random House, onde ela trabalhava, convidei Nan a dar uma passada e conhecer o lugar, porque gosto de ter a sua opinião sobre o que estou fazendo. Mas ela não quis.

ENTREVISTADORA

Era realmente necessário fazer aquele nível de apuração? Uma coisa é ir a uma ou duas casas de massagem. Mas durante dois anos, e depois ser gerente de uma delas?

TALESE

Para conhecer aquelas pessoas e entrar em suas cabeças, achei que tinha de estar lá. Mais do que isso, tinha de estar lá de uma maneira que eu não parecesse diferente delas. Não podia ser visto como jornalista. Quando se vai para Sandstone, por exemplo, é preciso tirar a roupa. A primeira vez foi muito difícil para mim, pouco natural, especialmente tendo em conta minha idade e minha formação. Mas na quarta ou quinta vez, não foi estranho. Na ocasião, eu estava vivendo em Sandstone. Nu do começo ao fim do dia. A questão é que eles tinham de confiar em mim e eu tinha de confiar neles. Não poderia ter feito isso de outra maneira.

ENTREVISTADORA

Mas isso significa que *Honra teu pai*, por exemplo, é um livro inferior porque você não se tornou um mafioso ou não cometeu um assassinato?

TALESE

Não. Não acho que houve uma diferença. Eu participei de *Honra teu pai*. Estive em carros com Bill Bonanno, seus guarda-costas e outros membros de sua gangue. Poderia ter levado um tiro. Em 1966, comecei a ir ao norte da Califórnia para visitar a família Bonanno. Visitei-os periodicamente nos oito anos seguintes, houve inclusive um período em que morei na casa deles. Durante todo esse tempo, corri riscos, mesmo que, na verdade, não estivesse cometendo crimes.

O mesmo aconteceu com *A ponte*. Nunca tirei meu terno de três peças, mas usei um capacete e andei com o pessoal da ponte. Fui ao ponto mais alto da ponte, andei na passarela, balançando lá em cima, antes mesmo de a ponte ser concluída. E nos fins de semana ia para reservas indígenas, a fim de poder escrever sobre os índios. Um rapaz que trabalhava na ponte me levou muitas vezes para a casa dele, na Reserva Mohawk de St. Regis. Ele era casado e tinha filhos pequenos. Seu pai, que morava ao lado, era um operário construtor de pontes, e havia também um avô que tinha sido operário construtor de pontes — todo mundo naquela pequena tribo tinha sido operário construtor de pontes. Uma vez, esse jovem propôs que eu ficasse em sua casa e sugeriu ainda que eu poderia dormir com sua irmã, que tinha 27 anos e era descomprometida, e ela foi receptiva à ideia. Esse episódio não fazia parte da experiência da construção da ponte Verrazano-Narrows. Mas fazia parte da experiência de estar no meio daquela tribo, às margens do rio São Lourenço, em um assentamento de trabalhadores da construção de raça mista Mohawk. Eu não era um estranho e também não era um deles. Certamente não era ferreiro ou construtor de pontes, mas achei que era capaz de experimentar o mundo deles.

ENTREVISTADORA

Você utiliza uma técnica incomum no final de *A mulher do*

próximo: usa a terceira pessoa para referir-se a si mesmo. Por que quis ter um personagem chamado Gay Talese?

TALESE

Pensei que a primeira pessoa destruiria o tom. Seria uma dissonância. Também queria enfatizar minha distância dos acontecimentos ao meu redor, mesmo quando estava dentro deles. Eu poderia estar numa sauna, mas ao mesmo tempo estava distanciado daquela sauna. Estou sempre pensando como se estivesse do outro lado da rua, ou como se escutasse às escondidas as conversas dos outros. Como repórter, eu dissocio. Parecia a maneira mais óbvia de me colocar no livro. Sou um observador em todos os momentos.

Estou sempre distanciado, com todos. Agora que estou tentando escrever sobre minha vida com Nan, percebo o quanto fui um observador num casamento de cinquenta anos. Estou sempre interessado na reportagem que poderia estar escrevendo se estivesse escrevendo sobre o que estou fazendo. Posso estar rebatendo bolas de tênis e estou pensando numa cena na quadra de tênis. Pode-se dizer que esse é o meu principal defeito. Nunca estou presente. Totalmente.

ENTREVISTADORA

Você imaginava que *A mulher do próximo* provocaria indignação?

TALESE

Não, de forma alguma. Minha esperança era de que eu levaria a não ficção para uma área à qual ninguém a levara antes. Queria entrar no pequeno clube privado do qual somente os escritores de ficção tinham as chaves. Philip Roth é da minha idade, John Updike é da minha idade. Eles podiam escrever sobre sexo na ficção. Eu queria fazê-lo com não ficção. Foi isso que me motivou.

ENTREVISTADORA

Você se surpreendeu com o caráter pessoal dos ataques quando *A mulher do próximo* saiu?

TALESE

Fiquei muito abalado e surpreso. Talvez fosse idiota ficar surpreso, mas fiquei. A verdadeira resenha foi publicada sete anos antes de o livro sair. Em 1973, um perfil da *New York* manchou minha reputação, me banalizou. Chamava-se "Uma noite nu com Gay Talese", e foi escrito por Aaron Latham. Sou retratado numa casa de massagens, na rua 57 Oeste, fazendo travessuras pelado. Perdi minha dignidade depois que isso foi publicado. O orgulho que eu poderia ter da forma como eu trabalhava foi questionado, porque parecia que eu estava vivendo experiências eróticas por conta da firma, chamando isso de apuração. Nan foi arrastada para dentro disso. Para não falar das minhas filhas, que estavam na escola primária na época.

Fizeram-me sentir como se eu fosse uma pessoa essencialmente má e pervertida. Mas eu não achava que fosse. Estava apenas interessado, incessantemente, tolamente, absolutamente interessado, com vigor inigualável, interessado em tudo o que eu poderia fazer para ampliar meu alcance, ampliar os limites de minha própria experiência particular.

ENTREVISTADORA

Seus pais ainda estavam vivos quando *A mulher do próximo* foi publicado?

TALESE

Sim, mas eles nunca o leram. Na verdade, saiu nos jornais

que haviam dito isso. Eles nunca me falaram nada sobre o livro. O *Ocean City Sentinel-Ledger* publicou uma resenha ruim que eles leram, eu soube. O livro era uma fonte de vergonha para meus pais. Eu disse a eles que podia vender minha casa em Ocean City e eles responderam: "Não, não, você deve ficar". Isso foi tudo.

ENTREVISTADORA

Como seus amigos escritores reagiram?

TALESE

O pessoal do PEN, organização que reúne escritores do mundo todo, foi indelicado comigo. As feministas eram particularmente vociferantes naquela época. Eu estava na lista de candidatos a presidente do PEN e me disseram que era melhor retirar o meu nome, ainda que estivesse na lista por iniciativa do comitê de indicações. Achei aquilo muito divertido, uma vez que as pessoas do PEN não são exatamente membros da Liga Católica do Boliche. Espera-se que sejam absolutistas da Primeira Emenda, defensores da liberdade de escrever. Foi a minha versão de uma letra escarlate. Recebi a marca do pecador.

ENTREVISTADORA

Como você reagiu?

TALESE

Eu quis me esconder. Quis me dedicar a um tema completamente diferente, algo que está no coração dos Estados Unidos: o automóvel. Queria escrever sobre um italiano que não era eu. Há sempre um pouco de mim naqueles sobre os quais escrevo, em particular nos italianos, os DiMaggios e os Sinatras, então pensei em escrever sobre Lee Iacocca, o presidente recém-nomeado da Chrysler, que se tornara uma proeminente figura nacional. Por um ano e meio trabalhei em um livro sobre a Chrysler, passando muito tempo com Iacocca em sua casa em Bloomfield Hills. Mas não funcionou. Eu estava tentando recuperar minha reputação escrevendo sobre carros, mas, na verdade, não queria fazer isso. Às vezes você descobre que seus personagens se encaixam em sua vida e às vezes não. É como um relacionamento. É como se você namorasse alguém e não desse certo.

ENTREVISTADORA

Parece-me que um dos mistérios de sua carreira é que existem muitas pessoas que adoram e reverenciam seu trabalho e, ao mesmo tempo, houve uma quantidade absurda de resenhas ruins sobre suas obras. Qual o motivo disso? As resenhas ruins o incomodam?

TALESE

Muitas vezes, uma resenha negativa é um menosprezo por minha técnica. Não acreditam em mim. Acham que estou mentindo. Talese escreve que fulano de tal estava pensando tal coisa. Como sabemos que essa pessoa estava pensando assim? Eu sei porque a entrevistei muitas, muitas vezes. Perguntei o que ela estava pensando, para que eu possa entender bem. É preciso estabelecer as bases para que se possa perguntar: O que você sentiu? E é preciso ter muita história junto delas.

Muitas vezes, os críticos pareciam perturbados por eu não fazer julgamentos morais sobre meus entrevistados. Isso não aconteceu somente com *A mulher do próximo*, mas também com *Honra teu pai*. Disseram que eu estava sendo brando com o crime organizado. Tento ver as pessoas como elas se veem. Bill Bonanno era um assassino, assim como seu pai, assim como os guarda-costas com quem eu costumava ir a restaurantes da Primeira Avenida, em Manhattan. Mas não acho que eles eram tão diferentes dos soldados que são chamados de patriotas pelo governo por cometerem assassinatos. Proteger os companheiros, é disso que se trata.

Meus livros e artigos também nunca receberam prêmios. Ouvi dizer algumas vezes que eu estava na disputa pelo Pulitzer, mas nunca fui escolhido. Nunca ganhei o National Book Award. Mas, com uma ou duas exceções, nunca me arrependi de alguma coisa que publiquei. A única recompensa que tenho é o sentimento de que fiz o melhor que podia.

ENTREVISTADORA

Você já contou que o período após a publicação de *A mulher do próximo* foi difícil. O que aconteceu depois disso?

TALESE

Eu estava atolado, apenas fazendo as rodas girarem em falso, quando Nan viajou a trabalho para Londres, e fiquei sem ninguém com quem pudesse falar. Encontrei-me totalmente sozinho. Então fui para Roma. Acabei ficando lá por três anos. Nesse período, me afastei de todo o mundo editorial. Estava cansado da turma do livro. Estava cansado de editores. Estava cansado de agentes. Decidi pesquisar sobre a história da minha família na Itália, e isso foi o início de *Unto the Sons*.

Aconteceu outra coisa que me fez querer ir embora. Meu melhor amigo era David Halberstam. Logo depois que eu o conheci, ele entrou no *New York Times*. Ele morava do outro lado desta rua, em 1964. Fui seu padrinho de casamento. Éramos como irmãos. Então, em 1982, quando eu o conhecia havia vinte anos, ele me telefonou e disse: "Gay, quero escrever sobre automóveis e talvez queira falar com seu amigo Iacocca". Eu falei: "David, estou trabalhando nisso há cerca de um ano". Ele disse: "Claro, bem, essa é a terceira parte de uma série que estou fazendo sobre os Estados Unidos em fins do século xx". Ele tinha um projeto maior — não sei o que era. Eu disse: "Vamos sentar e conversar sobre isso, porque não podemos ambos escrever sobre o mesmo assunto". Fiquei muito aborrecido. Não queria dizer a ele que não tinha certeza de que queria fazer o livro. Estava apenas pasmo que o meu melhor amigo ia entrar no território onde eu tinha fincado minha modesta bandeira, por menor que fosse. Duas semanas depois, ele voltou para Nova York e tivemos uma pequena reunião em minha casa. Nan estava presente, jantamos e ele disse que realmente queria fazer aquilo. E eu respondi: "Isso vai afetar a nossa amizade. Temos de parar de nos ver e conversar todos os dias sobre o nosso trabalho". Eu nunca estivera numa situação como aquela. Pensei que ele fosse mudar de ideia. Mas não mudou. Estava determinado. Muito mais decidido do que eu, dei-me conta. David escreveu seu livro, que se chama *The Reckoning*. Não o li. Esse livro interrompeu nossa amizade por onze anos.

ENTREVISTADORA

Durante esse tempo, alguma vez você esbarrou com ele?

TALESE

Às vezes Nan e eu víamos David em festas. Eu ficava longe. Se estava cheio de gente, dava para fazer isso. Mas às vezes eu topava com ele. Eu dizia olá, ele dizia oi, e só. Interiormente eu estava despedaçado. Era como um divórcio.

ENTREVISTADORA

Como acabou essa história?

TALESE

Em 1993, ele me telefonou e disse que queria me mandar algo que escrevera sobre mim. Era a introdução de um livro que estava organizando com as melhores reportagens sobre esportes, e o texto era muito elogioso, sobre seu respeito por mim. Percebi que estava tentando fazer as pazes. Então decidimos que iríamos a um jogo de beisebol, e depois do jogo jantamos juntos. Pouco a pouco, voltamos a ser tão íntimos quanto antes e, depois, mais ainda. Ele e sua esposa, Jean, foram ao País de Gales para o casamento de minha filha Pamela e passamos uma semana juntos em Londres, e no dia de Ação de Graças seguinte, fomos a Paris, nós quatro. Nos encontrávamos pelo menos duas vezes por semana. Então ele foi ao norte da Califórnia para dar uma palestra, e eu estava dando aulas em Los Angeles durante uma semana, por isso lhe propus que me encontrasse para passarmos alguns dias juntos. Mas ele não podia, e eu voltei para Nova York. Dois dias depois, fiquei sabendo que ele morrera num acidente de carro na Califórnia. Jean telefonou e fui direto para a casa dela. Passamos a noite conversando. Foi um ano ruim para mim. Nunca tive um amigo de quem gostasse tanto como David.

ENTREVISTADORA

Você já anunciou que o seu próximo livro será sobre seu casamento. Como escolheu esse tema?

TALESE

Ninguém foi maluco o suficiente para fazer ou tentar fazer isso. Ademais, é a única história que tenho condições de contar e ainda não contei. O que mais posso fazer? Já esgotei as histórias. Vou relatar a história do meu casamento, a intimidade, a complexidade e a discórdia dessa relação, como se eu fosse outra pessoa. O que eu sou, penso eu. Quero escrever sobre como foi difícil para Nan ser casada comigo. Por que essa mulher inteligente, realizada, independente financeiramente ficaria comigo por cinquenta anos? Ela tem todas aquelas pessoas no ramo editorial, vai à Feira do Livro de Frankfurt e comparece a todas as conferências de vendas, tem relações, contatos e amizades. Por que iria querer ficar casada, especialmente quando, no caso de *A mulher do próximo*, ela é humilhada no papel, constrangida tanto quanto Hillary Clinton? Quem fica casada com uma pessoa com quem, em seu juízo perfeito, ela não deveria se casar? Não há nenhuma razão para que o casamento tivesse funcionado. Penso em todas essas pessoas que se divorciaram por questões menores. Se nós não nos divorciarmos, não sei por que alguém se divorciaria. Preciso entender isso antes de acabar num caixão em algum lugar.

ENTREVISTADORA

Como você vai pesquisar esse tema?

TALESE

Empreguei dois assistentes de pesquisa que gravaram muitas horas de entrevistas com ela.

ENTREVISTADORA

Por que você não faz as entrevistas você mesmo?

TALESE

Quero ter sua versão das coisas gravada, com suas próprias palavras, verificável na fita. Citações, verificáveis na fita, que ela não possa refutar. Transcrições. Porque acho que, em muitos relacionamentos, existem duas versões diferentes. Na superfície, Nan é imperturbável, é muito calma, nada está errado. Ela diz que tem um casamento feliz. Eu a escutei falar sobre mim e penso: De quem ela está falando? Este não sou eu! Ela costuma fazer uma apresentação pública mais doce de minha personalidade, ou do meu próprio ser, do que eu faria.

Também andei revendo minhas agendas e fotografias para reconstruir nossos anos juntos. Guardo todas as cartas que recebo e, muitas vezes, faço anotações sobre as situações que estou vivendo no momento em que recebo a carta. Tenho cartas de Nan desde 1959, quando éramos recém-casados.

ENTREVISTADORA

Você é capaz de se imaginar num casamento mais convencional?

TALESE

Não, não vejo como poderia viver dez anos dessa forma. Acho que Nan também não. Ela também tem uma vida misteriosa. Conheço homens com quem acho que ela deveria estar, em vez de estar comigo. Alguns de seus escritores, por exemplo, de quem ela é muito próxima. Essas relações, bem como toda a sua vida profissional, ajudaram nosso casamento.

O único outro casamento que conheço de fato é o dos meus pais. Que durou mais de sessenta anos e era sufocante. Minha ideia de casamento convencional foi moldada pelo lar em que eu vivi. Era muito apertado. Eles trabalhavam juntos na loja durante todo o dia e à noite saíam juntos. Nunca brigavam. Eram completamente compatíveis. Minha mãe adorava meu pai e ele a adorava.

ENTREVISTADORA

Acho que a maioria das pessoas consideraria isso uma coisa boa.

TALESE

Eu não. Só sentia que não tinha para onde fugir. Se você entra num relacionamento como esse, não tem nenhuma chance de viver.

ENTREVISTADORA

Como Nan se sente a respeito desse livro?

Um dia, ela está tranquila em relação a ele, no dia seguinte, não. Quando peguei pela primeira vez o contrato para fazer esse livro, meu editor telefonou para ela para perguntar se ela estava de acordo com a ideia. Ela disse que sim. Disse: "O que quer que ele queira fazer é decisão dele, mas acho que ele não sabe nada sobre casamento".

Lembro-me de algumas coisas muito românticas em relação a Nan. Tenho um carro esportivo Triumph TR3, que comprei em 1958. É um conversível pequeno, com teto de lona. Uma vez fomos com ele a Key West, numa longa viagem. No caminho de volta, eu queria ver a casa de Thomas Wolfe em Asheville, na Carolina do Norte. Eu não sabia, mas a rota exige que se cruze uma montanha. Eu não estava em alta velocidade, mas, no topo da montanha, sobre um pedaço de gelo, perdi o controle do carro. Começamos a derrapar. Pensei que o carro fosse direto para a margem da estrada, onde havia um despenhadeiro de mais de trinta metros. Achei que era o fim. Olhei para Nan e ela olhou para mim. E não havia pânico em seu rosto. Ela estava fazendo palavras cruzadas e parecia tão calma quanto se estivesse tentando pensar na resposta que se encaixasse em alguns daqueles quadradinhos.

Passamos por cima do acostamento e caímos numa vala de lama. O carro parou e se inclinou sobre a borda do penhasco, mas não caiu. Por um minuto, simplesmente ficamos paralisados. Então, ainda muito calma, Nan disse: "Por que você não sai e eu vou atrás de você?". Abri a porta e saímos devagar. Ficamos na estrada, congelando, e esperamos uma hora e meia até passar um carro que nos levou de volta para baixo. Ali mesmo percebi que aquela mulher tinha caráter. Ela não vai entrar em pânico e pular fora. Isso aconteceu em 1962. Estávamos casados havia apenas três anos.

ENTREVISTADORA

Você pretende escrever sobre outras mulheres no livro?

TALESE

Talvez, mas isso é uma coisa que as pessoas não entendem: o sexo não é tão importante. Não é a coisa mais importante em nenhum relacionamento. O casamento nunca diz respeito ao sexo, mas, na ficção americana, muitos contos e romances apresentam o flerte sexual como um pecado imperdoável. Eu nunca pensei que fosse assim.

O casamento é o acontecimento principal. Os outros relacionamentos me levam a mundos que de outra forma eu não conheceria. A vida dos outros, isso sim é sexy. Elas são ficção em primeira mão. É disso que essas amizades tratam.

ENTREVISTADORA

Você tem alguma concepção de privacidade? Você se sente mal em relação a revelar todos os detalhes sobre seu casamento?

TALESE

Desisti de minha privacidade. É preciso. Nesse livro sobre meu casamento, quero ir mais longe do que em *A mulher do próximo*. E posso ir a qualquer lugar, porque não sinto qualquer restrição. Dito isto, não acho que eu seja irresponsável, insensível, impulsivo ou imprudente. Pelo menos não acho que sou, mas as pessoas dizem: "Sim, você é". Então de fato não sei. Sinto que tenho o direito de contar uma história e conheço aquilo sobre o que estou escrevendo — tenho competência para fazê-lo. Minha perspectiva pode ser contestada por outra pessoa. Minha esposa poderia escrever a mesma história e seria uma coisa totalmente diferente. Mas, no final das contas, é a minha perspectiva. Sim, tenho um distanciamento em relação a isso. Mas distanciamento não significa falta de compaixão. Significa apenas que você está de olho, em todos os momentos, na história.

ENTREVISTADORA

Esse livro não é, em certa medida, o que você vem se preparando para fazer durante todos esses anos?

TALESE

Estou pesquisando esse tema há cinquenta anos. E por que motivo eu estaria guardando todos esses papéis? Guardei e datei cada pedaço de papel: fotografias, cartas que escrevi e cartas que recebi, juntamente com as anotações que fiz sobre cada um deles. Guardo as anotações de todas as entrevistas que já fiz e de todos os livros que escrevi.

ENTREVISTADORA

Por que você acha que quer guardar esses registros — todos os papelões de camisas, as anotações e as pastas? Você imagina outras pessoas lendo-os, ou são apenas para você?

TALESE

Não pensei muito sobre isso. Só não quero jogá-los fora. Isso acabou se tornando minha obsessão. Não quero dar a impressão de que tenho uma imagem inflada de mim mesmo, porque não tenho. Mas penso que sou um cronista. Quero registrar e contar o que vi e ouvi, e as pessoas que conheci, e o que eu fiz, porque acho que isso está conectado à história. Quero deixar a minha marca. Guardo registros para atestar o fato de que estou vivo.

ENTREVISTADORA

Como no verso de T.S. Eliot: "Com estes fragmentos escorei as minhas ruínas"?

TALESE

Você traz um aporte intelectual para a minha banalidade.

ENTREVISTADORA

Você está preocupado com a reação das pessoas a esse novo livro? Pode trazer de volta as lembranças de *A mulher do próximo*.

TALESE

Eu não me importo mais. Isso é a melhor coisa da velhice. Quer dizer, o que eles podem fazer a mim? Quem são eles? Quem são eles?

ESTA OBRA FOI COMPOSTA EM MINION PELO ACQUA ESTÚDIO E IMPRESSA PELA GEOGRÁFICA EM OFSETE SOBRE PAPEL PÓLEN SOFT DA SUZANO PAPEL E CELULOSE PARA A EDITORA SCHWARCZ EM SETEMBRO DE 2016

A marca FSC® é a garantia de que a madeira utilizada na fabricação do papel deste livro provém de florestas que foram gerenciadas de maneira ambientalmente correta, socialmente justa e economicamente viável, além de outras fontes de origem controlada.